D0892949

L'HOMME INCHANGÉ

ESSAI

Du même auteur:

Le voyage intérieur. Les Éditions de Mortagne. Boucherville, 1979, 256 pages.

Les voies du possible. Les Éditions de Mortagne. Boucherville, 1981, 196 pages.

L'homme qui commence. Les Éditions de Mortagne. Boucherville, 1981, 312 pages.

Réincarnation et karma. Les Productions Minos. Montréal, 1984, 240 pages. En collaboration avec Jacques Languirand.

Une religion sans murs. Les Productions Minos. Montréal, 1984, 248 pages.

Un torrent de silence. Les Éditions de Mortagne. Boucherville, 1985, 368 pages.

Placide Gaboury

L'HOMME INCHANGÉ

Une version du monde
et de l'homme

ESSAI

Édition:
Les Éditions de Mortagne
171, boul. de Mortagne
Boucherville (Québec)
J4B 6G4
Tél.: (514) 641-2387

Dépôt légal:
Bibliothèque nationale du Canada
Bibliothèque nationale du Québec
1er trimestre 1986

ISBN: 2-89074-212-1

1 2 3 4 5 - 89 88 87 86

Table des matières

DEUXIÈME PARTIE: L'HOMME EN CROISSANCE CONTINUELLE

«On peut enseigner la science, mais non la sagesse. Chacun doit découvrir la voie qui lui est propre et se fier au courant.» (*Siddhartha*)

À Étienne et Claire
au plus fort du courant

PRÉFACE

L'Homme inchangé, paru en 1972, est le premier de mes essais à caractère spirituel. Il marque le début d'une remise en question plutôt radicale de toute une façon de sentir et de penser. De plus, il énonce déjà clairement les thèmes et les positions qui seront explorés dans les ouvrages suivants. Il s'insère donc dans une continuité et pour cette raison, il nous a semblé, à mes éditeurs et à moi-même, qu'il fallait le présenter de nouveau au public. En effet, son message demeure actuel, malgré certains passages qui renvoient spécifiquement au contexte des années 70.

Placide Gaboury
automne 85

AVANT-PROPOS

Tout homme a sa vision du monde. Et comme tous ceux qui sont d'une maille avec l'univers des choses, ma perception est le fruit d'un biais initial. Il n'y a pas de raison *pour que je voie le monde de telle façon, ma vision est la prémisse d'où je pars pour tirer d'inévitables ou hésitantes conclusions. Je défends, comme chacun, mon préjugé. Je crois même, comme je tâcherai de le montrer au cours de cet essai, que tout homme est malgré lui fidèle à son point de départ, à cette première et vive saisie du réel qui ouvre la grande aventure de la vie.*

Dès la naissance, chacun de nous se lie au monde, et cette liaison est à la base de toute relation, de toute amitié, de toute entreprise. Ainsi, chacun ne peut qu'être fidèle à sa vision de départ, et ne fait que la défendre, la rationaliser, l'ériger en système. Je ne cacherai donc pas que ma vision est partiale et partielle, qu'elle est fondée sur cette expérience pré-rationnelle qui se fixe dans les brèves années d'après la naissance: elle est une croyance. Ce n'est pas notre raison qui nous ouvre le paysage, mais plutôt celui-ci qui nous ouvre notre raison et lui présente un matériau déjà constitué. Et lorsque apparaît celle-là, elle ne peut que confirmer les «faits» que voici. Elle dit à sa façon analytique, systématique, ce que le corps et la psyché avaient proclamé dès le premier baiser avec le monde: «Comme cela est bon!»

Cette vision du monde n'est donc pas scientifique, puisqu'elle inclut tout l'homme. Et comme toute vision du monde est regard sur l'homme, ce livre est point de vue sur le monde de l'homme. Aussi deux images reparaîtront-elles souvent au cours de cet essai: celle de l'aquarium, celle de la banquise.

L'homme est un aquarium. Cela veut dire principalement deux choses. Premièrement, qu'on ne peut en sortir pour s'imaginer ce que serait voir l'aquarium de l'extérieur, et que l'on ne peut vivre en dehors de cet enclos. Deuxièmement, que ce serait illusion de s'imaginer comprendre ce qui se passe chez un autre parce qu'on verrait clairement le poisson à travers la transparence de l'eau. Le sens de l'homme ne peut être saisi de l'extérieur, mais de l'intérieur et au dedans de ses limites. C'est par implication plutôt que par explication, que l'homme est connu.

L'homme est aussi une banquise: la part submergée est la plus importante, et elle fonde autant qu'elle soutient, la partie qui émerge: le domaine des apparences. Les comportements ne sont que des indicateurs, ils n'atteignent jamais l'expérience et celle-ci n'est jamais totalement exprimable, c'est-à-dire, transposable.

• • • • •

Ce livre s'articule en deux temps. Dans le premier temps, on voit comment l'homme est inchangé, comment cet être programmé et enfermé dans des limites qui le fondent, demeure inchangé. C'est aussi le moment de crever allègrement les mythes de la «métamorphose explosive de l'homme». Le second temps, qui constitue la majeure partie du texte, examine de quelle façon l'individu est engagé à changer s'il veut survivre et s'accomplir.

PREMIÈRE
PARTIE:

L'homme inchangé

CHAPITRE PREMIER:

L'HOMME INCHANGÉ

«Nous vivons dans un âge pourri. Les jeunes ne respectent plus leurs parents. Ils sont effrontés et impatients. Ils passent leur temps aux tavernes et n'ont aucune maîtrise d'eux-mêmes.» (Inscription sur une tombe égyptienne d'il y a 6000 ans, citée par Buckminster Fuller, *I Seem To Be A Verb.*)

Il semblerait que l'homme soit désormais entré dans une nouvelle phase, qu'il ait acquis une nouvelle conscience, des forces telles qu'il ne soit plus un être accidentellement changé, mais en profondeur, depuis la base jusqu'au faîte. Un nouvel homme, ce produit de la technologie, du psychédélisme, des hallucinogènes, de l'ère spatiale, de la maîtrise parfaite sur la matière-énergie? Et s'il n'est pas encore transmué, l'homme d'aujourd'hui serait-il en voie de le devenir? Teilhard de Chardin, Buckminster Fuller, Marshall McLuhan, Herbert Marcuse, et les autres utopistes tels que Richard Landers, B.F. Skinner, Arthur C. Clarke, Herman Kahn, Sam Keen, Norman O. Brown, Timothy Leary, Bertrand de Jouvenel, auraient-ils raison contre les annonciateurs du désastre, George Orwell, H.G. Wells, Jacques Ellul, John Wilkinson, Norman Mailer?

Parce que l'homme vit plus longtemps, connaît mieux les secrets de la génétique, de l'espace, du temps, qu'il peut fabriquer des supercomputers, inventer des matériaux sur mesure, parce qu'il connaît les mécanismes du corporel, du psychique, ainsi que leurs secrets entretiens, qu'il peut guérir la plupart des malaises, explorer son univers intérieur avec une lucidité jamais encore atteinte, parce que l'homme a acquis un sens nouveau de son unité foncière, des valeurs sensorielles et mystiques, et enfin, une conscience aiguë des liens tissant ensemble toutes choses, de la valeur de la personne, de la nécessité pressante d'une amitié liant l'homme, les bêtes et la terre — pour toutes ces raisons, l'homme serait-il changé?

Les propagandistes du psychédélisme — Timothy Leary, Norman O. Brown, Paul Goodman, Ralph Gleason, Alan Watts, Allen Ginsberg, les disparus Jimmy Hendrix et Janis Joplin —, tous les défenseurs de l'ivresse par hallucinogènes, de la nouvelle chimie, de la mutation par la drogue, ont soutenu que l'homme peut se changer par ces moyens miraculeux, que sa transformation n'est plus simplement superficielle. Certains parmi eux, en particulier Alan Watts et Timothy Leary, voient le dépassement de l'homme (de ses contraires raison-instinct, bien-mal, vie-mort, amour-haine) dans le retour au mysticisme, notamment celui de la tradition bouddhique. D'autres, tels que Sam Keen, Norman O. Brown, plongent dans l'exploration du corps et du sensoriel: ils y trouveraient, au moyen des expériences de groupes («T-Groups»), des attouchements gradués, des «confessions» non-verbales, des incursions dans la danse, de la spontanéité gestuelle, de la libération d'aspirations enfouies et d'actes étouffés, ils déclencheraient ainsi la naissance d'un nouvel homme, que Herman Kahn appelle sensoriel («sensate»). Pour les plus convaincus, la drogue est un sacrement qui transforme l'être en l'unissant à l'univers, en dissolvant toutes les hostilités, en faisant de l'individu un «champ» de sympathie universelle.

1 LE RETOUR À ROUSSEAU

La philosophie hippie

La mystique des hippies s'inscrit dans ce courant. L'amour-fête est leur source et leur raison d'être. Mais c'est un amour qui n'accepte aucune opposition, qui n'affronte point d'adversaire. Selon le psychologue Rollo May, «L'amour hippie est sans discernement; cet amour met l'accent sur l'immédiateté, la spontanéité et la sincérité affective de l'instant. (...) Mais l'amour requiert aussi de l'endurance. Il grandit en profondeur au moyen du conflit et de la croissance qui se prolongent sur une durée. Ceux-ci ne peuvent être omis d'aucune expérience amoureuse de quelque durée ou valeur... Car je ne suis pas honoré d'être aimé simplement parce que j'appartiens au genre humain. L'amour qui est coupé de la volonté se caractérise par une passivité qui n'intègre pas sa passion et ne grandit pas avec elle. Il s'achève en quelque chose qui n'est pas complètement personnel, parce qu'il n'a pas de discernement. De telles distinctions requièrent vouloir et choix, et choisir quelqu'un signifie ne pas choisir quelqu'un d'autre. Le hippie ne tient pas compte de ces données; l'immédiateté de l'amour chez lui semble aboutir en une affection insaisissable et éphémère...»

Il y a chez les tenants de la philosophie hippie un antinomisme évident, c'est-à-dire, un rejet des lois et de l'ordre établi. Norman Adler voit en effet dans le hippie le type par excellence de la personnalité antinomienne, qui reparaît dans l'histoire à des moments de crise sociale, où elle sert alors de rajustement. Ainsi, les Gnostiques, les Manichéens, les Cathares, les Romantiques et, enfin, les Hippies, réagiraient de façon semblable devant la société et la vie.

«Bien que les métaphores changent, dit Adler, des thèmes semblables resurgissent. Les problèmes religieux et existentiels y deviennent primordiaux. L'«auto-actualisation» et la «transcendance» apparaissent des motifs dominants. Des adolescents parlent de l'unité de l'humanité et du besoin de fusionner, comme s'ils étaient des Soufis ou des disciples de Meister Eckhart. Il y a de toute évidence une diffusion de l'Ego et un narcissisme intensifié qui produisent un retrait du monde et une tendance au quiétisme.» L'antinomien craint la diffusion et la dépersonnalisation, et c'est pour cette raison que «par des 'voyages' vers l'intérieur, par une fusion panthéiste, il tente de démontrer son contrôle du moi et du monde.»

Ce type d'homme estime le sentir, le toucher, la vue, plus que l'abstraction intellectuelle ou l'enchaînement logique. «En perdant le sens de l'ordre, l'antinomien perd aussi ses propres frontières. Il affirme la primauté du soi «naturel», de ses impulsions et désirs, rejetant tout conseil, toute mesure extérieure. Le hippie est gnostique: «La Gnose se réfère à la connaissance, mais non à une connaissance qui impliquerait un processus analytique et rationnel. Elle comprend plutôt l'Illumination, la Révélation, l'Intuition, comme base d'une connaissance supérieure, plus véridique, plus pure.» Le gnostique et le hippie se défient tous deux de l'analyse rationnelle, s'appuyant plutôt sur l'inspiration du moment, l'enthousiasme, la saisie spontanée et non-rationnelle du monde. Tous deux disent aussi que la connaissance mystique dispense de toute morale, de toute discipline: l'être supérieur est libéré des limites prosaïques qui retiennent l'homme ordinaire.

«Les hippies, dit de son côté Norman J. Levy, cherchent un Âge d'Or pour retrouver l'innocence enfantine perdue, ou pour atteindre à la pureté des premiers chrétiens, à l'intégrité du Bon Sauvage.» Il y a chez eux des traits évidents de rousseauisme, auquel nous reviendrons plus loin. Or, dans tous les cas de LSD qu'il a rencontrés dans ses recherches, Levy affirme que «le retour au réel semblait rendre les sujets plus conscients de leur solitude, de leur stérilité, de leur absence totale de racines.»

Le hippie, s'il n'est point de l'espèce activiste, dont il se sépare progressivement, refusera d'affronter le réel autant que de se contraindre de quelque façon. «Si cela me fait du bien, dit-il, je le ferai, pas autrement.» Il envisage la communication comme une fusion, par identification profonde, par une expérience subjective d'union globale avec les êtres, plutôt que comme un affrontement, une opposition dépassée. D'instinct, il a horreur de toute relation dialectique. De préférence, il envisagera l'amour comme uniquement fusionnaire, comme une aventure sans contradiction, sans risque, merveilleuse et suave.

C'est qu'en réalité, la «montée» produite par la drogue donne l'illusion d'une soudure avec le monde, d'une générosité infinie, d'une créativité surhumaine. Ce que le drogué croit atteindre lorsque le vent psychédélique gonfle ses voiles allégées, c'est un congé à toute limite, une expansion sans bornes de la conscience individuelle. Mais, selon le psychiatre Daniel Cappon, du journal *Postgraduate Medicine*, ce qu'expérimente en fait le drogué, c'est une *dépersonnalisation*, une perte totale d'identité, une incapacité de se contrôler ou de maîtriser son univers, par conséquent, de poser un seul geste authentiquement personnel, autonome, créateur. Mais parce que l'euphorie est mystérieuse, impossible à traduire et non-rationnelle de caractère, le drogué conclut qu'il s'agit d'une expérience mystique d'une profondeur qui défie l'analyse et l'intelligence de l'homme profane. Rien n'est en fait plus solitaire, insaisissable et dissolvant que l'expérience de la drogue. Le témoignage des Beatles en serait déjà une sérieuse indication. Cette expérience ne rend pas communicatif ni communautaire, mais elle en donne la plus suave illusion. Et cependant, il ne faudra pas pour autant l'exclure du champ humain, car tout ce que les hommes expérimentent appartient au trésor universel de l'expérience humaine. Il se peut même qu'une relation plus complète avec l'univers et les choses prenne racine dans un transport psychédélique. La connaissance de l'homme est encore fort infantile en ce domaine et il est possible que la part inexplorée ou non-actualisée du cerveau, c'est-à-dire, peut-être les neuf-dixièmes, mouille au port d'un monde à ce point marginal.

Toutefois, il ne faudrait pas croire que le congé au rationnel ou à l'ordre est de soi créateur ou religieux. L'hallucination elle-même n'est pas un produit spécifiquement religieux. En effet, nous savons depuis les expériences d'Aldous Huxley durant les années '50, que la tradition humaine de l'Orient et de l'Occident connaît cinq façons naturelles d'atteindre à l'hallucination: 1) la respiration lente et indûment prolongée; 2) le chant prolongé de façon incantatoire, comme dans une litanie; 3) la macération corporelle rigoureuse et prolongée; 4) le jeûne aigu et soutenu; 5) des conditions de claustration excessive, par exemple, dans une chambre sans lumière et insonorisée.

Les religieux et pénitents des siècles passés qui pratiquaient des mortifications telles que la flagellation et le jeûne croyaient peut-être par ces moyens faire descendre du ciel une grâce sous forme de vision, mais c'était en toute probabilité, un simple effet de chimie corporelle modifiée. S'il ne faut pas en conclure qu'aucune «grâce» divine ne s'y manifestait, on ne doit pas non plus appeler surnaturel ce qui est le fruit d'un conditionnement physique. La divinité peut se révéler par tous les moyens qu'il lui plaît — mais justement, elle n'a pas besoin de moyens extraordinaires. Mais l'homme persiste à chercher le divin dans l'extraordinaire, hors des limites de son être, dans un «hubris» qui le prive autant de son humanité que de toute relation authentique avec le divin. (Ou serait-ce que ces moyens qui nous paraissaient jusqu'ici sortir de l'ordinaire, tels que les drogues et les expériences-limites sont pour le divin des voies fort naturelles, même coutumières?)

Le mouvement hippie a entraîné dans son courant des jeunes de 17 à 25 ans, pour la plupart de classe moyenne et de bonne éducation. Il faut aussi compter dans leurs rangs un certain nombre d'adultes qui embrassent cette mystique, qui annule toutes les barrières de race et d'âge, et apparaît fondamentalement comme un esprit, une vision du monde, plutôt qu'une façon de s'habiller, de se coiffer ou de s'exprimer. Mais il est aujourd'hui difficile de distinguer cet esprit à travers le pullulement de modes superficielles et commercialisées qu'il a rapidement engendrées.

Les hippies rejettent ce que le monde officiellement adulte de l'Amérique représente: les valeurs d'ordre, de travail (l'éthique protestante), d'ambition (le «frontier spirit»), de propriété; ils s'opposent aux institutions, à la technologie, à la guerre. Ils répudient la connaissance intellectuelle, surtout scientifique, et la discipline qu'elle suppose; ils repoussent le formalisme «bourgeois», l'absence totale de spontanéité que produit à leurs yeux la civilisation technologique. Pour eux, le travail est aussi périmé que la raison. Aussi sont-ils opposés au communisme qui restreint les arts et la liberté personnelle, autant qu'au capitalisme qui soumet tout à la production et conditionne l'individu.

Aux yeux du hippie, l'agressivité et la cupidité sont une invention de la société technologique, dont il se distinguerait comme une nouvelle pousse. Justement, il se verra comme un mutant du genre humain: il refuse de voir des patterns dans l'histoire ou dans son propre comportement. Pour lui, tout est un choix de sa liberté reconquise. Son code moral pourrait s'énoncer ainsi: «Fais ton affaire, où et quand tu le veux; laisse tomber la société; donne des ailes à ton esprit, par la beauté, la sincérité, l'amour, le plaisir, la drogue.»

Certains hippies mettent l'accent sur une quête religieuse: leur autoconnaissance leur permettrait de se «transcender», d'atteindre «les espaces libérants du moi délié (*selflessness*), d'entrer dans une relation fusionnaire avec le monde. Au moyen d'hallucinogènes (Cannabis, Mescaline, DMT, STP, etc.), on veut atteindre la *satori* du bouddhisme Zen, par où la spontanéité est descellée dans sa source, au-delà de tous les écrans rationnels et volontaires. D'ailleurs, bon nombre d'observateurs voient le phénomène comme un renouveau mystique, d'autres, comme une sorte de néo-adamisme. Mais si le mouvement hippie comme tel est moribond, sa mystique ne fait que prendre racine de par le monde.

Stoppé en pleine étude, le hippie (auquel il faut joindre ceux qui comme lui se réclament du monde non-rationnel) n'éprouve aucun attrait pour la connaissance méthodique, surtout celle pratiquée par les sciences pures: pour lui, cela représente une pensée dure, impersonnelle, inhumaine même, plus près de la calculatrice que de l'homme de chair et d'os. Il abhorre le chiffre et l'univers de l'IBM, préférant la poésie, la musique, un «art nouveau» rutilant de phosphorescences. Or, le psychiatre Karl Stern soutient dans *The Flight From Woman*, que la connaissance par connaturalité ou par intuition, prend source dans la relation mère-enfant. De son côté, Erich Fromm, dans *L'Art d'aimer*, dit que l'amour maternel est inconditionnel et se porte sur l'être lui-même, que l'enfant soit laid ou charmant: du seul fait qu'il existe, l'enfant est aimé. L'amour paternel serait plus conditionnel: l'enfant doit faire quelque chose pour gagner l'amour du père, pour rencontrer ses exigences. Les hippies disent justement: «Ce n'est pas ce qu'une personne fait qui compte, mais ce qu'elle est.» Ils disent aussi que c'est l'amour, non la connaissance logique qui mène à la vérité. Or, note George B. Murray, la connaissance intuitive-poétique est analogue à l'amour maternel, et la connaissance analytique-scientifique, à l'amour paternel.

Dans ses recherches, le psychiatre Louis J. West a trouvé que les hippies, bien qu'ils aiment l'humanité en général, ont habituellement assez peu d'amitiés profondes ou d'intenses relations interpersonnelles. Kenneth Keniston, dans son étude, *The Uncommitted*, découvre que les jeunes qui laissent tomber la société ont presque toujours pratiqué l'identification avec la mère plutôt qu'avec le père. Des études sur les habitués de l'héroïne fournissent de semblables conclusions.

Il semblerait que la connaissance d'ordre scientifique et analytique demande de la discipline, de la ténacité, et une certaine prise sur le réel. Or, par leur refus de *toute* forme de violence — même de la violence faite à soi-même —, de tout effort intellectuel systématique, le hippie et ceux qui lui ressemblent, optent pour un monde retiré vers l'intérieur, subjectif, idéal, chaleureux. Si l'on entend la réalité selon la définition du philosophe Charles S. Pierce, «ce qui existe indépendamment de ce que l'on en pense, ou ce qui résiste à l'interprétation», il est certain que le hippie n'est pas intéressé à ce type de réalité. Ce n'est pas qu'il ait tort de préférer un monde plus uni, plus humain, plus équilibré. Mais il le cherche en dehors des limites de l'homme: sans accepter son conditionnement, son besoin de s'accommoder d'une société, sans reconnaître la nécessité pour chacun d'assumer ses propres limites et responsabilités.

Les critiques lancées à la société de consommation, au capitalisme, à l'esprit «bourgeois», à toutes les valeurs du monde adulte, ne sont pas sans fondement. En fait, la jeunesse de ce temps se montre en cela prophétique. Deux traits pourraient caractériser le prophète: il n'est jamais populaire, et il dit souvent des choses qu'il n'entend pas lui-même. Mû par une force qui le dépasse, il est l'expression de quelque chose, tout en croyant s'exprimer lui-même; il a donc besoin d'interprètes.

Voici comment on pourrait interpréter les plaintes et refus de la jeunesse d'aujourd'hui. Selon elle, toute guerre est trop chère; l'amour compte plus que tout et plus que jamais; il faut établir une justice pleine de compassion pour les faibles et les minoritaires; l'abondance seule ne suffit pas, et finalement, la personne est la première valeur à sauvegarder sinon à retrouver.

Les jeunes de ce temps se sentent à la fois impuissants contre l'ordre établi et héritiers d'un monde dont ils ne veulent pas. Ils sentent que tout va dans un sens contraire à leurs aspirations, que leur destin est sans rémission: on leur a préparé, croient-ils, un univers de haine, pollué, injuste, alors qu'ils veulent un monde de paix, de loisir heureux, de célébration, de créativité, de mystique, de *soul*, une société sans préjugés et libre de nécessités matérielles. Ce qui les navre le plus, c'est que les hommes ont en main les moyens de faire arriver ce royaume désirable, mais eux, les jeunes, à la fois impatients et empêchés, voient leur sang s'emplir de poisons ou se répandre vainement dans des guerres inutiles. Ils se découvrent sans armes, sans force, sans argument, contre le monolithe moderne.

Mais elle oublie par contre certaines réalités, cette jeunesse avide et *festive*. Elle oublie la nécessité de vivre à l'intérieur de limites reçues, dont *tout homme* hérite en entrant en ce monde. Elle oublie que pour personne, le monde n'est offert sur un plateau d'argent et n'est dans un état idéal à la naissance. Elle rejette la nécessité de l'institution — non pas de telle ou telle, mais de l'institution comme phénomène social, comme habitude collective inévitable. La nécessité de lutter à l'intérieur des institutions, de les critiquer sans arrêt, empêchant qu'aucune d'elles ne devienne un absolu.

Cette jeunesse ne voit pas la nécessité de respecter chez l'homme l'existence simultanée d'antipodes: la liberté et la loi, la spontanéité et la discipline, l'individualité et la société, la raison et l'instinct, la tendresse et la rigueur, l'unité et la variété. Finalement, elle oublie que la jeune génération, pas plus que ses ascendances, n'est sans défaut. Elle n'a pas ceux de ses aînés, mais elle en a d'autres. Le jour où elle pourra se passer de *toute* drogue peut-être faudra-t-il la reconnaître comme une mutation nouvelle, mais jusque-là, elle se montre aussi empoisonnée que toute autre. L'homme est pollueur justement parce qu'il est pollué, et la jeunesse n'y échappe pas. Mais elle rejette allègrement tout le blâme sur «les autres»: les aînés d'au-dessus de trente ans, l' «Establishment», les institutions, le complexe militaire-industriel, le gouvernement, l'école, la moralité, l'argent. Pourquoi ne pas accuser l'homme tout simplement — puisque c'est lui qui produit et reproduit ces défauts, qui prolonge la chaîne inextricable des causes et des effets? L'homme, c'est-à-dire, chacun des membres de la race humaine, les jeunes au même titre que les adultes.

Le hippie, comme en général la jeunesse d'aujourd'hui et le groupe d'adultes qui en épousent les attitudes, ne semblent pas accepter l'homme tel qu'il se présente. Ils voudraient à la fois la libération et le moyen magique d'y parvenir, c'est-à-dire, un nirvãna parfait et instantané. Leur art-happening est avant tout spontanéité, dégorgement, laisser-jaillir inspiré par l'éclairage de l'instant. On refuse tout contrôle, toute structure, toute méthode. On ne semble pas reconnaître les limites de l'homme. On oublie qu'il y a, en plus de la fusion chaleureuse, une opposition réelle entre les êtres et à l'intérieur de ceux-ci, qu'il y a dans chaque homme à la fois du social et de l'individuel, et une exigence d'ordre aussi impérative que le penchant à la fantaisie.

Nous l'avons vu, même dans sa façon de connaître, le hippie néglige un côté du réel: connaître, c'est pour lui savourer de l'intérieur, être englobé dans l'univers, se perdre, s'abandonner à une mer de bien-être. Mais ne sait-il pas que c'est aussi éprouver la résistance des choses, leur privilège d'exister indépendamment de l'idée que l'on pourrait s'en faire; que c'est aussi pour l'homme éprouver la résistance de ses propres limites? Connaître, c'est parfois tout simplement reconnaître ses frontières. Les matières sont murs autant que miroirs, résistance autant que désistement: même le verre est un écran, même l'eau se creuse pour faire un nid à mon corps. Les hippies peuvent oublier ces faits lorsqu'ils ignorent que les maladies vénériennes et les effets encore flottants du LSD sur les chromosomes sont des réalités que la plus belle «expérience» d'amour, le plus somptueux «voyage», ne sauraient annihiler.

La vision uniquement «franciscaine» de la réalité serait une impasse. Car même à l'intérieur d'un groupe choisi, les charmes se brisent. On ne peut suspendre longtemps les problèmes économiques ou les lois de la thermodynamique. Exclure le monde hostile, lui fermer la porte, pour remplir la chambre d'encens et d'extase, de musique et d'insouciance, est-ce possible au-delà de quelques heures? À moins de s'isoler à la campagne — où l'on trouvera aussi bouses de vache et piqûres de guêpes. On peut rêver de créer un retrait idéal, loin de la *profanité* des «gens corrects», pour recouvrer un monde en quelque sorte sacré. (Le monde psychédélique serait-il devenu ce nouveau *locus* sacré remplaçant le temple de naguère?) Certes, des amoureux peuvent, pour un temps, ignorer tout le reste de l'univers; mais tôt ou tard — très tôt habituellement — quelqu'un doit s'aventurer dans le crachin pour faire les courses; les virus pénètrent; la boîte de Pandore est rouverte.

La vie telle que la rêvent les hippies et leurs semblables — et qui ne l'a rêvée, comme échappatoire, comme frasque de week-end? —, cette vie serait convaincante, s'il n'y avait le mal et ses séquelles. Si les hommes n'étaient pas des êtres ambigus, portant misères autant que merveilles. (Même chez les hippies, il y a les trafiquants de drogues et les meurtriers.) Si tous étaients de «bons sauvages», il n'y aurait pas eu de problème et nous n'aurions pas inventé la société d'aujourd'hui avec tout ce qu'elle charrie d'immondices et de désastres.

En fait, la philosophie hippie n'accepte pas toute la réalité. Elle croit échapper à la faiblesse humaine par miracle ou alchimie. Les hippies semblent, en effet, vivre un seul visage de la vie, sa doublure de satin. Mais il n'est pas possible de rejeter le passé ni la société. «Les institutions, dit John P. Sisk, sont la face communale et sociale de l'homme; et elles ne sont l'Autre, l'Ennemi, que dans la mesure seulement où nous sommes aliénés vis-à-vis d'une part de nous-mêmes.» À son tour le sociologue Nathan Glazer remarque que «rien ne peut remplacer les institutions, même si elles deviennent bureaucratiques et corrompues.» En effet, si l'homme est de dimension sociale aussi bien que personnelle, il renoncerait à une part inaliénable de lui-même en refusant la société. Il retomberait dans un «pour soi» absolu, un solipsisme sans issue.

Or les hippies eux-mêmes constituent un sous-groupe — Desmond Morris l'appellerait une pseudo-tribu — qui s'est enclos dans un univers d'institutions. Le hippie est maintenant une institution: habillements, jargons, accessoires, coiffures sont commercialisés, les groupes de musique rock *s'entr'imitent*, chacun se conformant aux normes établies par cette «contre-culture». Au dire de David Reisman, les jeunes ne se tournent plus vers leurs aînés: ils sont captifs de leurs pairs. Ce qui leur a manqué, c'est de s'apercevoir qu'ils devenaient un corps d'institutions rivales de l' «Establishment» qu'ils abhorraient, c'est de s'être critiqués tout au long de l'aventure commencée en 1965. Il leur a manqué de reconnaître les leçons de Piaget, Fromm, Peter Berger et d'autres qui disaient que l'homme ne pouvait séparer l'héréditaire de l'appris. L'homme, c'est un passé qui se tient debout au présent. Et il est aussi impossible de séparer l'homme de son passé, que de retrancher sa raison de son instinct — et s'attendre à retrouver un homme.

Selon le sociologue George Herbert Mead, la découverte de soi-même coïncide chez l'enfant avec la découverte de la société: «soi» et «société» sont deux faces d'une même médaille. En effet, l'enfant découvre qui il est à mesure qu'il apprend ce qu'est la société. Selon Peter Berger, l'homme redeviendrait enfant dans la mesure où il refuserait la société comme réalité diverse et compétitive, et rechercherait la protection maternelle de son monde d'enfant, global et inévitable; dans la mesure où il refuserait le pluralisme des visions, qui s'accroît avec la relativisation des connaissances. Affronter la société, c'est s'affronter soi-même en tant que relié au monde; et refuser cette société, c'est refuser une part de ce qu'on est ou pourrait être.

Le hippie, de quelque âge qu'il soit, est un adolescent figé dans sa croissance. Il est resté pris dans la phase analytique, celle du rejet global, du refus de croire aux mensonges, de la désillusion (la phase que nous appellerons plus loin la non-crédulité). Le hippie est d'emblée rousseauiste. Ce n'est pas étonnant qu'il ait été captivé par la philosophie d'un Herbert Marcuse. Il y avait d'ailleurs de l'adolescent dans Rousseau lui-même, comme nous le verrons.

Herbert Marcuse

Ce philosophe d'origine européenne fut l'éminence grise des hippies, yippies et activistes de divers poil. Il rejeta la société actuelle comme répressive de l'Éros, et vit le salut de l'homme dans la libération de cet Éros. (C'est aussi ce que recommande le psychologue Rollo May, mais sans séparer l'amour de la discipline et sans opposer l'homme à la société.) Son désir de libérer l'homme de tous les complexes tissés par la machinerie moderne, uni à son espoir qu'un mouvement révolutionnaire renverse les absolutismes staliniens ou capitalistes, ont donné au professeur freudien-marxiste une large audience auprès de tous les insatisfaits et idéalistes. Son «humanisme marxiste» semble marier l'appel à la spontanéité et le désir de la contestation: «La spontanéité, avertit-il, ne suffit pas. Il faut aussi une organisation.»

Le désir profond de Marcuse est de changer l'homme. Non seulement les institutions, mais aussi et davantage les hommes, dans leurs attitudes de fond, leurs instincts, buts et valeurs. Changer les aspirations des hommes conditionnés en libérations de non-conditionnés. Il veut changer les besoins agressifs de l'individu: ceux qui l'assujetissent à l'appareil capitaliste (et marxiste) de la production, en changeant du tout au tout les valeurs en cours et l'usage qu'on fait de la technologie. Il faut faire la révolution pour diminuer les salaires, supprimer le luxe, réduire la consommation. Et le progrès dans la démocratie n'est possible qu'à travers les mouvements militants et progressivement radicaux.

La position de Marcuse est passionnée, gonflée de rhétorique, contradictoire. Il veut libérer l'Éros, pour arriver à la civilisation du loisir, mais il propose d'y arriver par la violence, la révolution, le rejet de toute institution présente. Il faut un pouvoir pour libérer les hommes des pouvoirs établis, mais ce pouvoir, que sera-t-il, à qui appartiendra-t-il, et comment ne sera-t-il pas à son tour tyrannique — d'autant plus qu'il doit être réservé à une élite? Dans son *Essai sur la libération,* le théoricien critique la bureaucratie, les institutions de la société technologique, comme autant de mesures répressives, oppressives, brutales, assujettisantes, déshumanisantes. C'est le système sociétal qui seul semble avoir ces défauts. Marcuse n'applique jamais sa (méthode) critique à l'homme lui-même. Si on donnait à l'homme le bon système social, il serait changé, c'est-à-dire, enfin créateur, totalement sensibilisé à l'univers, parfaitement gratuit et généreux. Il n'est pas question de l'égoïsme, de la cupidité, de la cruauté ou de la paresse qui couvent dans l'homme lui-même, sans parler de ses limites psychologiques et existentielles.

Ces idées de tolérance et de répression se fusionnent dans l'expression contradictoire: «tolérance répressive». En effet, la répression ne peut être tolérante ni la tolérance répressive; mais celle-ci serait infiniment moins mauvaise que l'intolérance répressive. Or cela montre justement où se trouve la plaie: Marcuse n'accepte pas que l'homme soit toujours conditionné, toujours inclus et enclos dans une société, toujours pris dans un réseau de forces contraires, au milieu desquelles il lui incombe de se tenir *relativement libre et créateur*. Marcuse est un disciple de Rousseau. Son maître attribuait à la société la corruption de l'individu, mais Marcuse va un cran plus loin: c'est la société organisée de telle façon, tel système de vie sociale, par exemple le capitalisme, qui corrompt l'homme. Mais l'homme comme tel est pur, noble, beau, gratuit, aimant.

En la dépouillant de toute sa frange de rhétorique, peut-être accepterait-on la thèse de Marcuse. Mais justement, elle est inséparable de sa charge verbale: son message est son langage même. Marcuse peut ainsi noircir à loisir la société actuelle et les systèmes en vigueur, il peut condamner à souhait le terrorisme que ceux-ci perpétuent; mais le théoricien lui-même est pris au piège: son style et sa visée accusent le terrorisme le plus manifeste. En effet, s'il faut être libéré des tyrannies capitalistes et de toute oppression idéologique, ce n'est pas pour se faire les créatures des rhéteurs à la mode. Ce n'est pas seulement de Reagan, de la guerre en Extrême-Orient, de la CIA, qu'il faut se «libérer», mais aussi de Marcuse, des paradis artificiels, de la drogue. Ce qui est toujours difficile, c'est demeurer éveillé, c'est ne pas tomber dans le simplisme du tout-ou-rien. (Bonhoeffer avait raison contre ceux qui voulaient «convertir» Hitler: ce n'est pas Hitler qu'il faut changer, répondait-il, c'est nous — afin de ne pas devenir ses esclaves.)

Marcuse n'est pas le seul rousseauiste contemporain. On peut lui adjoindre Alan Watts, Norman O. Brown, Timothy Leary et Charles A. Reich, qui dans son livre *The Greening of America*, croit que la jeunesse d'aujourd'hui émerge du commun par une conscience suraiguë, la «Conscience III», un état existentiel supérieur à tout autre et libéré de toutes les nécessités. Même Buckminster Fuller, l'un des plus éclairés parmi les prévisionnistes d'aujourd'hui, voit un jour prochain où les bases fondamentales de la corruption humaine seront éliminées et un nouvel homme naîtra. Ce sera un monde où la plupart pourront s'occuper à temps plein de leur loisir préféré, puisqu'ils seront soutenus par des octrois gouvernementaux. Ils n'auront plus à prouver un droit à la vie, et personne ne tentera de s'emparer de votre emploi. Alors que Fuller croit avec raison que l'abondance n'est pas une panacée — «la vraie richesse c'est savoir que faire de l'énergie dont l'homme dispose» —, alors qu'il estime que la technologie, dirigée par une plus grande responsabilité, pourra améliorer sensiblement la vie humaine, que par ses efforts l'homme pourra résoudre les problèmes tels que la guerre, la surpopulation, la faim, la maladie, l'ignorance, il oublie toutefois que la nature humaine ne pourra se trouver soudainement transmuée pour autant. Les utopistes et évolutionnistes réagissent comme si l'amélioration de l'homme était un résultat qui ne dépendrait pas de ses décisions et de son sens de la liberté, mais qu'une fois l'environnement et les technologies grandement perfectionnés, l'homme changerait de paramètre, de champ, de limites et de possibilités, et cela automatiquement. Nul doute que le cerveau de l'homme est à peine employé, que si tous les hommes l'utilisaient à plein, les problèmes physiques de l'univers seraient en grande partie réglés. L'homme vivrait mieux du point de vue matériel; il serait capable de plus de responsabilité aussi, puisque sa connaissance serait plus étendue; il disposerait également de plus de créativité et d'imagination, sûrement de compréhension. Mais il aurait encore à accepter ses limites, à se maîtriser, à marier en lui-même ses contraires, à poursuivre sa recherche, sa liberté, à choisir, risquer, croître.

La théorie qui juge l'homme substantiellement changé ou sur le point de l'être, ne pouvait apparaître que récemment dans l'histoire. Si les utopies ont commencé avec la renaissance — que l'on se rappelle les oeuvres suivantes: *L'Utopie* de More, 1530; *Christianopolis,* 1627; *Mémoires de l'an 2500* de Mercier, 1772; *The Happy Colony* de Pemberton, 1854; *Altneutland* de Herzl, 1903; *Brave New World* de Wells, 1932; *1984* de George Orwell, 1945; *Walden Two* de Skinner, 1948; *Stranger in a Strange Land* de Heinlein, 1961, etc. —, toutefois l'idée qu'il faille retourner à l'origine pour purifier l'homme se popularisa avec Jean-Jacques Rousseau, et reprit de l'actualité le jour où l'homme devint conscient que la science avec ses applications, la nature avec ses exigences écologiques, voguaient en sens contraire, l'homme restant isolé au beau milieu.

Il nous paraît avantageux de revenir quelques instants sur les idées de Jean-Jacques, que l'on présume trop facilement connues. Mais si elles l'étaient, ce serait à la façon d'un milieu environnant dont on a déjà cessé d'être conscient.

Jean-Jacques Rousseau

Selon Rousseau, l'animal est supérieur à l'homme de plusieurs points de vue. La bête reste toujours semblable à elle-même par son instinct, alors que l'homme, pouvant changer, reperd en vieillissant tout l'acquis, descendant ainsi plus bas que la bête. Contrairement à la bête, l'homme «en devenant sociable et esclave, devient faible, craintif, rampant». Si l'homme n'avait, comme l'animal, ni désir ni crainte, il ne raisonnerait pas, échappant ainsi à ses plus grands maux. Car «l'homme qui médite est un animal dépravé.» Ainsi donc, la raison, l'organisation sociale, les aspirations et la recherche perdent l'homme.

L'homme à l'état sauvage est, au contraire, tout proche de l'animal et à cause de cela, il se retrouve à l'état idéal. Il «ne respire que le repos et la liberté, ne veut que vivre et rester oisif», alors que l'homme policé «est toujours actif, sue, s'agite, se tourmente sans cesse pour chercher des occupations encore plus laborieuses...» Rousseau, qui n'avait jamais visité une tribu, bien loin d'y avoir vécu, se réfère sans cesse à l'État de Nature, où «l'inégalité est à peine sensible», et où les hommes n'étant pas asservis à des besoins artificiels et soumis les uns aux autres, chacun est «libre», rendant vaine «la loi du plus fort». Au lieu de trouver chez l'âme humaine «cette céleste et majestueuse simplicité dont son auteur l'avait empreinte», «un être agissant toujours par des principes certains et invariables», la société en fit un être passionné, corrompu, difforme et délirant.

Par contre, «rien n'est si doux que lui dans son état primitif, lorsque, placé par la nature à des distances égales de la stupidité des brutes et des lumières funestes de l'homme civil, et borné également par l'instinct et par la raison à se garantir du mal qui le menace, il est retenu par la pitié naturelle de faire lui-même du mal à personne, sans y être porté par rien, même après en avoir reçu. Car selon l'axiome du sage Locke, *il ne saurait y avoir d'injure où il n'y a point de propriété.*» Mais on ne se bat point chez les primitifs? La guerre serait-elle une invention toute récente, un produit de l'âge industriel?

Cette idée que l'homme n'est bon et parfait que près de ses origines, semble reparaître dans l'oeuvre de Desmond Morris, Konrad Lorenz, Robert Ardrey, qui excusent les impulsions de l'homme en les rendant parfaitement conformes à sa nature animale. Lorenz traite l'agressivité comme une force aussi naturelle chez l'homme que chez l'animal; cette théorie, d'ailleurs assez contestée, situe l'agressivité au même niveau que les autres instincts de base: ceux de la conservation, de la reproduction. En fait, l'agressivité ne ferait que protéger ces deux derniers. Robert Ardrey étudie chez l'homme son «impératif territorial»: son besoin natif de posséder un terrain qui lui soit exclusif et qui s'étende depuis les quelques pouces entourant le corps — région d'extrême agressivité — jusqu'aux grands terrains de chasse que sont devenus les vastes empires. Par cet impératif l'homme apparaît comme un animal, et Ardrey justifie cet instinct comme une loi fondamentale de l'être. Le droit de propriété serait ainsi fondé dans les chromosomes mêmes, et non comme l'ont cru Rousseau et Marx, sur les déviations de la société cupide. *

Desmond Morris est le plus explicite dans sa réduction de l'homme à l'animal. Pour lui, l'homme n'est qu'une copie des grands singes, qu'il imite jusque dans les plus fins détails. L'homme apparaît comme un singe accidentellement modifié, au lieu que le singe apparaisse comme un hominide à l'état d'ébauche. Le point de vue importe plus qu'il ne paraît. Il est naturel pour Morris de considérer tous les gestes comme *simiesques,* comme des imitations, des «singeries» du précurseur, au lieu de voir les gestes des simiesques comme des préfigures de l'homme, qu'ils «imitaient» dans le sens qu'ils en déterminaient les patterns de base: l'homme serait tiré du singe plutôt que le singe attiré vers l'homme. La traction définit tout.

Quoi qu'il en dise, Morris abaisse l'homme au lieu d'élever le singe, en lisant les gestes du dernier comme «semblables à ceux de l'homme». Aristophane, La Fontaine, George Orwell, Ionesco ont tous vu dans l'homme un animal, et les hippies appellent les policiers des «porcs». Serait-ce le retour de l'homme vers l'animal plutôt que l'inverse? (Nous aimerions bien que les animaux nous le disent!) De toutes façons, si les thèses de ces savants sont discutables, celle de Morris demeure fort consciente de ce qui caractérise l'homme: «Nous oublions malheureusement, dit Morris, que nous sommes des animaux avec certaines faiblesses spécifiques et certaines forces spécifiques. Nous nous pensons comme des pages blanches sur quoi n'importe quel texte peut être inscrit. Or nous ne sommes pas ainsi. Nous

*Voir aussi Edward T. Hall, *La dimension cachée*, où l'espace vital et congénital s'exprime et s'exige chez tout homme, de quelque société qu'il soit.

entrons dans le monde avec un ensemble d'instructions de base et c'est à nos propres dépens que nous les ignorons ou refusons d'y obéir.» Morris se montre ainsi peu rousseauiste. «Je ne crois pas, précise-t-il, qu'il puisse y avoir une fraternité humaine universelle. C'est là un rêve utopique naïf. L'homme est un animal tribal et les grandes super-tribus seront toujours en compétition entre elles. Dans des sociétés bien organisées ces luttes prendront la forme de compétitions saines, stimulantes et de rituels agressifs dans les domaines commercial et sportif.» En somme, Morris, Ardrey et Lorenz veulent rappeler que l'homme doit être fidèle aux limites et possibilités inscrites en ses gènes, et en cela, nous leur donnerons pleinement raison. L'homme est selon eux un être lié et conditionné, et cela n'est un handicap que pour celui qui ne veut pas en tenir compte. René Dubos est allé plus loin dans ce sens, tirant l'homme de l'animal en mettant en lumière combien l'homme était relié à l'univers entier et montrant que ses traits humains seuls — la responsabilité et la créativité — pourraient sauver la planète. Mais jamais, dit Dubos, jamais l'homme n'a changé ni ne changera biologiquement: les données de base sont perpétuelles.

Pour revenir à Rousseau, son dernier texte le montrait particulièrement opposé à la propriété privée. Il précise ainsi sa pensée: «Le premier qui ayant enclos un terrain s'avisa de dire: *Ceci est à moi,* et trouva des gens assez simples pour le croire, fut le vrai fondateur de la société civile.» Mais si au plan théorique Rousseau se montre à ce point avide de renier son droit à la propriété, ne serait-ce pas pour y retrouver un regain d'avantages personnels et égoïstes? Pour conserver une liberté totale de mouvement (par exemple, au château de Chenonceaux avec Madame Dupin), en se débarrassant de ses enfants et de ses obligations sociales? Fut-il homme plus acharné à défendre sa réputation, ses écrits, ses théories, sa vie privée? Ce n'était peut-être pas du tout l'Homme que Rousseau défendait, mais Jean-Jacques.

«À cause de la société, continue le philosophe romantique, être et paraître devinrent deux choses tout à fait différentes.» Mais ne le furent-elles pas toujours? Le conflit entre Sujet et Objet ne fut pas l'invention d'Aristote ou de Descartes: l'enfant à sa façon le découvre et cette découverte constitue sa croissance, son passage de la naïveté à la critique. Rousseau est un penseur pseudo-profond, un homme habilement superficiel. Il oublie que le sentiment d'être divisé dans sa personne est inhérent à l'homme, qu'il est signe de sa division originelle. L'homme n'est pas *ce qu'il a,* nous l'accordons à Rousseau, mais justement, ce décalage entre être et avoir, entre être et paraître, n'est pas puérilement réductible à un droit de propriété. Que l'homme possède ou ne possède guère, il sentira en lui-même une déhiscence profonde, une faille de base. Son désir n'est pas son corps, son «champ d'aspiration» rayonne de sa matière comme la chaleur qui auréole le champ d'été.

(La psychologie, en réaction contre l'excès de l'analyse intellectuelle, veut revenir vers le corps, vers la connaissance de soi par la sensation, l'instinctuel, la motricité, le toucher, la «vibration» affective. Derrière cette louable initiative, nécessaire pour que l'homme s'habite entièrement au cours de son analyse, perce toutefois le ver de l'anti-intellectualisme. On refuse d'accepter d'*avoir* un corps: on est corps ou plutôt corporel, point final. S'il en est ainsi, quel serait alors le sens de la liberté intérieure des manifestants noirs emprisonnés, de la résistance à la torture en camp de concentration? «Vous ne pouvez emprisonner mon âme» chantent à leur tour l'incarcéré noir, les intellectuels Daniel Sinyavksy, Victor Frankl, Soljenitsyne. Seraient-ce des dualistes incorrigibles? Non pas. La fidélité à quelque chose malgré tout, la mort incluse, n'est possible que si l'on accepte d' *avoir un corps* et de ne pas s'y sentir «enfermé», que si l'on reconnaît que le Je et l'étendue corporelle ne sont pas coextensibles. Il y a une «auréole comme une chaleur rayonnant d'un champ d'été».

Car la fidélité est toujours malgré quelque chose, comme la foi.)

Assurément, pour nous il ne sera donc pas question de suivre Rousseau en prenant chez le primitif nos modèles de l'homme idéal. Pas question non plus de chercher à savoir ce qu'était l'homme primitif — c'est sans doute une invention de la nostalgie moderne, au même titre que les Âges d'Or, remplacés par les Utopies qui nous inventeront un homme Tout Autre. Nous ne partirons même pas de l'homme idéal, mais plutôt de ce que nous sommes maintenant, de l'homme d'aujourd'hui. Puisque c'est celui-là qui seul existe et que la seule nature humaine que nous connaissions est celle que nous expérimentons.

Il y a en effet beaucoup de l'adolescent chez Rousseau. Comme chez ceux qui embrassent la philosophie hippie, chez les marcusiens et le peuple croissant des antinomiens. Vouloir retrouver l'homme originel, la légendaire pureté du primitif — représenté aujourd'hui par le Noir, l'Amérindien —, la fusion initiale avec le monde, le premier étonnement, vouloir *recommencer à neuf* en niant la validité du présent parce qu'il ne serait pas justifiable, voilà la grande utopie de ces esprits, le *non-lieu* de leur plaidoyer. Car nous avons perdu notre «innocence» sociale et individuelle, et c'est là un processus irréversible. Se déprendre c'est peut-être désapprendre à être pris, mais ce n'est sûrement pas nier l'état de prise. On ne rentre pas au paradis. Précisément parce qu'il n'est pas derrière mais devant. Non regret mais progrès: un pas plus loin.

On ne peut, comme les jazzmen américains Leon Thomas, Archie Shepp, Pharaoh Sanders, affirmer que l'Afrique primitive et le jazz sont devenus *un,* que «l'Afrique c'est ici» en Amérique noire. Aucun jazzman n'est concevable sans le nid d'Amérique et la vie urbaine. Aucun jazzman noir dans son univers de caste inférieure n'eût été possible sans l'auditoire et la promotion des Blancs: les deux sont liés dès l'origine. Le jazzman noir ou blanc est trop affiné pour être autre qu'un «primitif» de cour, de théâtre, de télévision. Ce qu'oublient beaucoup de ces musiciens noirs, c'est qu'ils sont plus américains que noirs, qu'ils ne peuvent être jazzmen sans être les deux à la fois, et ils s'en rendent bien compte quand ils tentent de vivre ailleurs, ne serait-ce qu'en Afrique, où le battement des tambours n'a déjà plus le même sens, faisant partie d'un univers depuis longtemps révolu. Il n'est pas de culture blanche en Amérique concevable sans l'élément noir, comme il n'y est pas de culture noire séparable du monde blanc.

Il est curieux que les jeunes Tanzaniens n'aient aimé la coiffure «afro-américaine» que parce qu'elle n'était précisément pas africaine, mais un produit du monde excitant d'Amérique, d'où leur viennent aussi les *jeans*, le jazz et la drogue. Mais les nationalistes africains ont vu ces coiffures et cette musique des Noirs américains, comme une autre exportation de l'Amérique colonialiste. Leon Thomas, le chanteur noir américain, qui avoue n'avoir jamais vu l'Afrique, s'en est réclamé toutefois par les racines et la sensibilité. Mais ce ne peut être là qu'une parenté de surface. Car la civilisation technologique et des siècles d'acculturation autonome ne peuvent faire du Noir américain un homme à l'aise dans la brousse — sauf pour une tournée de concert ou un safari. L'Américain noir a perdu son «innocence», et s'il se sent de plus en plus en accord avec l'Africain, c'est dans la mesure où celui-ci aussi a perdu son «innocence». Le paradis naïf fuit derrière l'homme à une vitesse incroyable. On ne peut chanter devant un micro et conserver les réflexes de la jungle, et si on le prétend, c'est qu'on est bon acteur. Le médium du Noir c'est l'Amérique.

Que l'Américain noir ne soit pas sur la même longueur d'onde que l'Africain de brousse, cela est dû à ce que les deux ne sont pas à une même étape d'évolution. Mais pour l'un autant que pour l'autre, les problèmes de base sont encore sans solution magique, les difficultés sont incessantes et les responsabilités pressantes. C'est en cela qu'ils sont tous deux au même point: inchangés. Les limites de l'homme demeurent, comme l'obligation de les assumer et de les dépasser.

L'homme n'est point changé et ne peut changer, du moins quant à ses données fondamentales. Les instruments de travail s'améliorent toujours, mais l'Homme? Les progrès matériels sont incontestables, mais ceux de l'esprit, de la psyché, du coeur de l'homme? Les façons de faire, les choix, s'affinent et se multiplient, mais la capacité de décider gagne-t-elle en excellence, ainsi que les décisions elles-mêmes? (Était-il plus facile pour Truman de se décider à lâcher la bombe atomique, que pour Napoléon d'affronter Moscou, ou pour Wolfe d'attaquer Québec par l'Anse au Foulon?)

Les enfants d'aujourd'hui en savent plus et plus tôt que les générations qui les ont précédés, ils sont en avance par rapport à *notre temps,* mais sauront-ils ce qu'il faut pour le leur? Les enfants d'aujourd'hui sont mieux développés intellectuellement et physiquement, mais seront-ils mieux équipés pour prendre les décisions qu'il faudra dans les conjonctures à venir? L'automatisation, la cybernétique mettent un plus grand nombre de connaissances et de possibilités à portée de la main, mais il faudra toujours choisir, assumer des responsabilités qui ne cessent non plus de se multiplier, il faudra prendre des partis, risquer. Personne n'en sera dispensé, et en cela, nous commençons tous à zéro, parce que les situations ne se répètent jamais et que les solutions naissent périmées.

Voilà en quoi l'homme est inchangé. Chaque être doit suivre son parcours, et l'éducation reçue, la surveillance et les conseils de parents et maîtres, l'outillage affiné, ne remplaceront jamais la décision de suivre tel chemin, l'acceptation des limites et faiblesses personnelles, autant que de ses propres possibilités. Là où l'homme recommence un trajet unique, c'est là qu'il demeure substantiellement inchangé; mais c'est aussi là que les changements les plus importants ont lieu, puisque la personne en devenir, c'est la pointe du progrès fondamental de *toute* l'humanité. Et dans la mesure où ce progrès a lieu, l'humanité avance. Mais cela est toujours à recommencer avec chacun, cela est granulaire et atomique et sans éclat. Car notre sensibilité étant de registre fort limité, nous ne sommes pas conscients que la terre tourne à 60 000 milles à l'heure; nous ne voyons plus bouger les aiguilles d'une horloge, ou un enfant croître; nous ne percevons ni le vieillissement des idées, ni le lent enracinement des habitudes. Les vrais changements échappent à notre regard coutumier, comme ils échappent à la scrutation de l'historien.

Le progrès de l'homme, c'est d'intégrer des contraires de façon personnelle et créatrice. Et chaque homme dans *sa* vie a à parcourir ce cheminement, et c'est cela le progrès pour lui, le seul changement de sa nature; la race humaine comme telle ne progresse pas, en ce sens que sa nature ne change pas, ne devient pas plus sage, infaillible, responsable — au plus, le pattern des défauts se déplace, il y a migration de faiblesses. Seul l'individu peut progresser, mais son enfant devra recommencer à neuf. Certains traits seront améliorés au cours de cette tradition, mais la difficulté d'atteindre à la créativité sur fond d'habitudes, à la spontanéité sur fond de discipline, à la liberté sur fond d'ordre, demeure toujours une gageure, il n'y a pas de voie facile, et ce n'est jamais plus facile pour un enfant que pour un autre. Certains sont extrêmement favorisés, mais ils seront aussi plus sensibles aux bêtises de l'homme, et devront supporter la peine d'être incompris. Il n'est pas pour apprendre à vivre de voie préparatoire parfaite, malgré Montaigne, Rousseau, George B. Leonard, Dewey et Montessori.

L'homme demeure inchangé, mais c'est à l'intérieur de cela même que se réalise sa mutation continuelle. Chacun doit passer de la naissance à la mort, et cet espace est à la fois le lieu de son changement et son évolution même — la route, le parcours: le Passage. L'homme est inchangé *en ce qu'il doit se changer sans cesse à l'intérieur de bornes fixes, pour devenir lui-même.* Car le changement est aussi impératif que le sont les lignes de démarcation. Le cheminement, la croissance, ne sont jamais finis dans chaque homme, ils sont proprement in-finis. Peut-être que c'est en cela que l'homme découvre ce qu'est le divin, cette Question dont il cherche la réponse et qui est elle-même Réponse: la découverte est quête.

L'homme, c'est proprement l'in-achevé responsable, l'in-fini d'un champ limité. Car ce qui est non-achevé en lui ne s'arrête pas de poursuivre son achèvement. C'est en heurtant le mur de ses limites que l'homme est mis en état de rebondissement incessant. Parce qu'il est limité de tous côtés et illimité de l'intérieur — de désir et de ressort —, le mouvement de l'homme n'est jamais fini.

L'homme inchangé

Ainsi, les extensions de l'homme — les mass-media, la technologie — progressent et changent, mais l'homme ne change pas en ce qu'il est toujours tenu de se réaliser, de devenir libre, de choisir, de s'accomplir: en croissance. L'homme n'a jamais fini de prendre position; il y a toujours une autre décision à prendre et aucune n'est la définitive, le voyage est toujours en cours et c'est pourquoi il ne peut y avoir d'homme achevé ou totalement connu. Un homme *comme tel* n'existe pas plus qu'un regard ne voit une maison *comme telle:* on ne voit jamais plus que trois côtés à la fois, et en marchant on peut voir les quatre successivement. L'homme est toujours sommé, toujours interpelé, mis à la question, appelé à une responsabilité accrue.

C'est pourquoi, lorsque Rousseau se plaint que notre sagesse n'est que «préjugés serviles», nos usages «qu'assujettissement, gêne et contrainte», que «l'homme civil naît, vit et meurt dans l'esclavage, enchaîné par nos institutions», je réponds: «Et pourquoi pas?» Ce qui apparaît comme un effet malheureux des institutions n'est qu'un donné de la constitution socio-individuelle de l'homme, une condition d'ailleurs universelle. Rousseau voudrait un être totalement libre, un pur départ: il oublie le cordon ombilical. Et pourtant on ne peut dire que Jean-Jacques ne se regardait point le nombril... Comment un tel homme pouvait-il alors n'avoir pas le sens d'une continuité, d'une direction, de l'histoire, le vrai sens de l'homme?

L'homme ne peut être changé dans son fond, puisqu'il ne peut devenir illimité: il n'a qu'une vie, que tels parents, que tel tempérament; il est délimité par une société et, jusqu'à présent, par la mort. L'intégration intérieure par laquelle l'homme donne sens à sa vie ne peut dépendre que de l'individu — chaque être est sommé de choisir et il ne progresse que par ces choix et à travers eux, non par les moyens rendus plus faciles de choisir. La recette ne peut que réduire l'homme s'il s'y appuie: il n'est pas de congé à la responsabilité, ni de moyen court pour parvenir à la personnalité authentique, à l'épanouissement de soi. La quantité des vivres, marchandises, outillages, services, peut progresser sans cesse; la qualité de la vie dépendra toujours d'un choix fait par la personne, d'une décision, d'une maîtrise intérieure, d'un sens de la direction. L'homme ne sera jamais dispensé de marcher sur la corde raide.

Nous disposons de plus de pouvoirs, nous possédons et menons le monde plus qu'autrefois, mais cela ne rend que plus exigeante notre responsabilité. Plus les moyens sont à point, plus le choix est impérieux. Nous contrôlons certes plus qu'avant, mais dirigeons-nous mieux le vaisseau terrestre, et savons-nous mieux vers quel espace le conduire? Comme le note Herman Kahn, il est facile de savoir où nous ne voulons pas aller: à peu près tous les hommes s'entendent là-dessus. Mais être d'accord sur ce que nous voulons, voilà qui est difficile. Nous sommes divisés sur les buts positifs et unis contre les ennemeis communs. On ne veut pas la guerre, mais quelle sorte de paix veut-on? On ne veut pas l'ignorance, mais quelle éducation? Non le travail obligatoire, mais quels loisirs? Non l'esclavage, mais quelle liberté?

Arnold Toynbee peut porter plainte que «dans la science et la technologie, l'homme a été brillant de succès, alors que dans le domaine moral, il fut une tragique faillite.» Mais voilà, c'est encore oublier que sur un plan d'ensemble, seuls les instruments et media progressent, alors que c'est chaque enfant qui doit devenir ce centre autonome qu'est un être humain. C'est oublier que la transformation morale, le progès spirituel sont toujours une aventure personnelle, qu'ils restent toujours à reprendre avec chacun, qu'ils ne sont pas héréditaires, parce qu'aucun individu ne peut transmettre sa solution. Son problème est unique: il est seul à poser de cette façon la question au monde, et seul à savoir quelle réponse lui est faite.

De même qu'il n'est pas de progrès dans l'Art comme tel, mais dans les techniques seules — bien qu'il y ait une *évolution*, une histoire, une succession d'états divers de l'expression —, ainsi il n'est pas de progrès comme tel dans l'Humanité, hors le fait pour chacun de devenir soi-même. Or, chaque histoire individuelle, chaque évolution personnelle, ne suit pas le même rythme, ne commence pas au même moment. Il est donc difficile d'affirmer que l'Humanité progresse, et certainement plus juste de dire: chaque homme progresse dans la mesure où il se découvre, se définit, s'assume, se pose, se communique, s'accomplit. Et le passé ne peut rien faire pour que l'homme d'aujourd'hui s'assume. Ainsi donc, l'Humanité «progresse» dans chaque individu, mais non en tant que masse monolithique.

Je ne crois pas que l'état de l'homme sur terre sera jamais celui que Teilhard de Chardin décrit comme son point Oméga. Je crois qu'il n'appartient pas à l'homme de savoir ce qu'il adviendra au sortir de ce temps de création et d'épreuve, et que la transformation dont il sera l'objet ne regarde personne que le Père — pas même le Fils. Notre problème se situe entre l'instant présent et l'heure finale où la terre soudain sera transfigurée. Pour le reste, il faut continuer de croire et il vaut mieux que l'état final demeure hors de notre portée. C'est de l'homme ici et maintenant qu'il s'agit, non du primitif imaginaire de Rousseau, non du produit terminal de Teilhard. Je n'estime pas que sur cette terre la nature de l'homme doive être changée pour qu'il devienne un homme, mais plutôt qu'être un homme consiste précisément à se débattre avec les frontières inscrites en notre être et le programme de nos possibilités secrètes. L'homme est inchangé parce qu'il naît et meurt, et qu'entre les deux, un enjeu unique lui échoit. (Mais il change dans la mesure où il accepte l'enjeu.) Même s'il pouvait cesser de mourir, l'homme serait tout de même né, c'est-à-dire, conditionné au départ. Il demeurerait toujours *tel* homme.

Le fait que les êtres de toutes espèces en engendrent d'autres, est signe que dans la nature même est prévu le phénomène de la mort. Car s'ils ne mouraient pas, pourquoi y aurait-il besoin d'engendrement? (Il serait en effet inconcevable qu'un vivant décidât de se faire engendreur en découvrant qu'il va mourir.) C'est parce que nos corps sont destinés à périr qu'ils naissent; c'est parce qu'ils naissent (et engendrent) qu'ils sont périssables. L'homme existe par le nombril.

Le flot de vivants qui roule sur la terre engloutit d'autres vivants pour que la vie demeure; celle-ci perdure aux dépens des morts. La vie, c'est la lignée qui ne meurt pas, la respiration universelle d'un grand corps, mais tous les êtres individuellement y périssent. Seule demeure la suite, la mélodie, le souffle de la poursuite. Ce qui importe, c'est que la Poursuite seule ne meure pas. La vie comme flot est immortelle sur terre. Mais cela n'est possible que par la consommation du vivant par du vivant, c'est-à-dire, par la mort de tous successivement, qui tour à tour nourrissent un vivant supérieur; même l'homme en tant qu'animal, fait partie de ce cycle qui est positif, c'est-à-dire, existant en faveur de la vie. La mort apparaît négative (non naturelle) à l'homme, parce que sa psyché étant incompatible avec la mort qu'elle ne peut concevoir, l'homme voit la mort comme unc injure absurde. La mort est concevable et bien naturelle comme phénomène vu de l'extérieur, c'est-à-dire, lorsque ce sont «les autres» qui meurent. Mais pour chacun, elle apparaît inconcevable, parce que chaque homme se voit spontanément comme non-mortel, comme étant cet immortel que constitue le grand brasier mangeur de brindilles: la Vie. Pour l'esprit, la mort est une offense à sa cohérence interne, à son besoin d'unité. L'esprit ne peut en effet opérer que dans le sens, il faut que cela fasse sens pour être admissible. C'est d'ailleurs en cela que l'esprit se manifeste comme proprement humain, lorsque le non-sens doit faire sens pour devenir humainement acceptable. La mort, phénomène naturel au cycle animal (spirale en laquelle l'homme est enroulé), ne devient *naturelle pour l'homme* que lorsque l'esprit l'a intégrée à la vie, lui a donné sens par rapport à sa vie, l'a rendu sensée. La mort pour l'homme peut devenir sensée parce que pour lui seul elle peut apparaître insensée.

Faisons le cheminement inverse. L'animal ne se suicide guère. Mais pour l'homme, la mort est si contraire à sa raison, qu'il doit de quelque façon perdre celle-ci pour se donner celle-là. Les animaux ne perdent pas une raison qu'ils n'ont guère; aussi ne commettent-ils pas de suicide. La mort n'est jamais une absurdité logique pour l'animal. Il n'a que l'instinct de vivre et de se préserver: n'ayant pas de *raison* de vivre, il n'en a pas de mourir. Aussi ne peut-il savoir le pourquoi de sa vie. Pour vouloir *fuir* ce qui semblerait insupportable, il faudrait tout d'abord le concevoir. Or, si le motif principal du suicide est le soulagement de la souffrance, pourquoi l'animal ne se tuerait-il pas?

Mais l'homme est seul à croire qu'il puisse y avoir un sens à la vie et un contresens dans la mort. Ce ne peut donc être pour simplement éviter la souffrance qu'il se tuerait, ou pour retrouver un au-delà de l'angoisse, un congé à tout. Le suicide ne peut être provoqué que par la souffrance privée de sens, de valeur, de motivation: par la perte du Sens. Car un homme qui est mis à la torture ou qui endure des années de camp de concentration — comme l'ont montré Dimitru (*Incognito*), Georghiu (*La Vingt-Cinquième Heure*), Victor Frankl (*L'Homme à la recherche du sens*) ainsi qu'un grand nombre de Juifs — cet homme ne cherche pas à s'achever si sa vie a un sens. Elle ne peut avoir un sens de plus forte que de la mort, qu'elle prive alors de son absurdité. La vie et la mort peuvent être simultanément sensées; mais la vie seule peut donner sens à la mort. Si quelqu'un considère que la vie, en dépit de tout, vaut la peine d'être vécue, la mort donnera à sa vie *tout* son sens.

D'autres penseurs voient l'homme comme inchangeable, comme perdu à tout progrès réel, parce qu'il serait esclave de la technologie et des coercitions contemporaines. Ou plutôt, ils voient l'homme devenir moins que lui-même, un sous-produit de la cybernétique, de la bureaucratie, de la production en série, une victime de l'assommoir social. Tels sont Jacques Ellul et Henri Lefebvre. Ellul est un bon rousseauiste: il est tourné vers le passé, à la façon de Bernanos, Gabriel Marcel, Aldous Huxley, John Wilkinson, D.H. Lawrence, Erich Fromm, Herbert Marcuse, Saint-Exupéry lui-même, qui haïssent leur temps en lui préférant le doux relent d'une «belle époque».

Jacques Ellul

À cause de l'excès de sa thèse et aussi à cause de son grand succès, il convient d'examiner en quelque détail la pensée de Jacques Ellul. Dans son livre intitulé simplement *La Technique,* le professeur d'histoire et de sociologie a voulu présenter une thèse sans faille — à l'image du sujet qu'il s'était défini. En effet, il y présente la technique comme un monde clos, à la fois irrépressible et totalement répressif, indépendant de l'homme et irresponsable. Pour y arriver, il incurve ses exemples et son vocabulaire. Il jonche son texte d'absolus et de généralisations: «*Aucune* technique n'est possible lorsque les hommes sont libres»; «*Toutes* les explications politiques ou économiques sont superficielles et ridicules», «La civilisation *n'existe plus* d'elle-même. *Toute* activité — intellectuelle, artistique, morale

— *n'est que* partie de la technique», «*Plus rien* n'est gratuit dans notre société», «Il est *vain* de prétendre qu'on puisse arrêter le monde technique ou le guider...» Et caetera, et caetera.*

On voit déjà de quelle façon absolue la technique se présente aux yeux du Professeur, et le moyen linguistique qu'il emploie est bien le message intellectuel qu'il entend transmettre: sa passion révèle son penchant. Ainsi, lorsqu'il parle des systèmes policiers, de l'efficacité, de la vie urbaine, de la société contemporaine, de la technologie, les termes sont presque exclusivement négatifs — la «technique» est dans sa bouche un terme essentiellement négatif, comme nous le verrons bientôt.

Par contre, il ne relèvera que les aspects positifs du passé. Or, il affirme: 1) que son livre est une étude scientifique, qu'il n'y pose pas de jugements de valeur. (Mais en réalité, son livre en est farci. À aucun moment il ne dit que son concept de la technique est réductif, que la société dans son ensemble n'y est pas réductible, et que c'est pour plus de clarté que l'objectif est ainsi concentré sur un seul aspect. Non: la technique est une réalité en soi, à quoi *tout* est soumis et qui définit absolument *tout*.) 2) Il déclare n'évoquer et ne considérer que des faits. Mais ce sont en réalité des interprétations inséparables du choix de ses supposés faits. Et il contourne subtilement l'adversaire en disant que celui qui n'affronte pas directement ces faits n'est pas scientifique. Mais voici le clou de sa performance: «Celui qui maintient qu'il peut éviter la technique est, ou bien inconscient, ou un hypocrite. L'autonomie de la technique défend à l'homme d'aujourd'hui de choisir son destin.» Ainsi ferme-t-il l'écoutille sur toute échappatoire.

Ce n'est point l'homme qui est réel pour Ellul, c'est le concept de la technique, c'est à celui-ci qu'il ramène le réel, comme Lefebvre enferme la réalité dans le quotidien, Freud dans la libido, Marx dans la classe sociale, Marcuse dans la répression. Aucun n'étudie l'homme, mais une théorie sur celui-ci, une réduction de celui-ci à

*Ellul, dans *Sans feu ni lieu*, tombe dans de semblables excès: le concept actuel de la ville est réduit à son interprétation biblique: le lieu de l'insoumission de l'homme, de sa défiance vis-à-vis de la divinité, exprimées dans l'hubris de l'organisation. Mais ce n'est pas la ville ici qui est à maudire, c'est l'homme lui-même qui est dans sa nature un rival de Dieu. Pourquoi blâmer la ville ou la technologie ou la société — produits de l'homme — plutôt que l'homme lui-même? Peut-on à ce point se tromper d'accent?

une abstraction, à une catégorie — et sans avertir qu'il s'agit bien d'une réduction. Ils régionnent. Aussi n'avons-nous pas l'impression qu'Ellul connaît des hommes réels; nous n'y reconnaissons pas les hommes de nos villes, de nos cercles d'amis, du moins pas ceux de la société nord-américaine. Ellul est moins humaniste qu'il ne se croit, il est plutôt injuste envers l'homme et inconscient de ses propres attitudes.

Voyons comment le professeur conçoit la technique. Elle n'est pas la technologie, qui est, selon Victor Ferkiss, «le moyen conscient et organisé d'affecter l'entourage physique et social, un moyen transmissible et ayant valeur indépendamment des talents individuels.» La technique telle qu'entendue par Ellul n'apparaît pas seulement dans la technologie, elle est à la fois plus générale et plus abstraite que celle-ci. La technique, c'est la recette efficace, le moyen magique, le tour facile et mécanique, qui d'une part, fascine l'homme au point de s'en faire le tyran, de paralyser sa créativité, et qui, d'autre part, entraîne l'homme dans une poursuite de l'efficacité immédiate, infinie dans son trajet et d'un élan irrésistible. C'est une force inexplicable, un réseau de puissances qui a sa propre logique, c'est une chose constituée, une aveugle énergie absorbant tout sur son passage. C'est le démon du meilleur produit, du confort à tout prix, de l'inévitable progrès, de l'inhumanité progressive. Le seul Asbolu qu'accepte inconsciemment l'homme moderne et qui le réduit en poussière atomique.

Ellul en veut mortellement à l'efficacité, à la méthode qui ramène tout à l'efficacité. Il n'est pas étonnant que, comme bien des intellectuels français, il répugne à ce concept. Or, si l'on examine le système ferroviaire français, on reconnaîtra que c'est là un domaine où l'esprit inventif s'est montré des plus efficaces — on ne pourra pourtant se plaindre de la ponctualité proverbiale des trains français. Sont-ils moins humains pour autant? Les Français souffrent-ils du fait que leurs trains sont efficaces? Bien au contraire: le voyage en est justement rendu plus humain.

L'efficacité est une valeur qu'Ellul, que bien d'autres de sa mentalité, semblent laisser pour compte. Elle représente la capacité de produire et d'organiser pour plusieurs à la fois: la denrée alimentaire, le système routier, l'éducation, la médecine, le livre, le vêtement (on se rend compte de quelle importance est l'efficacité dans des désastres comme ceux du Pakistan ou du Biafra.) Même en art, la capacité de reproduire une oeuvre à une infinité d'exemplaires rend l'art *accessible* au plus grand nombre. L'efficacité permet de rencontrer les problèmes tels que la faim dans le monde, la surpopulation, la communication universelle et continuelle. Mais il faudra du même coup en accepter les inconvénients qui sont d'autres problèmes engendrés par une solution imparfaite.

Il n'est pas juste de dire que la technique, au sens où l'entend le professeur Ellul, est ce que cherche avant tout et inconsciemment l'homme d'aujourd'hui. Loin d'être scientifique, cette affirmation est gratuite et méprisante. Ellul d'ailleurs, tout au long de son livre juge l'homme de haut et froidement, comme seule la logique laissée à elle-même peut le faire; pour rien au monde il ne voudrait être inclus dans l'humanité moderne, ni prendre sa part de responsabilité dans ce qui existe présentement. En louchant du côté du passé, du monde pré-urbain et pré-industriel, il déclare la conjoncture actuelle aussi impossible à démêler qu'à fuir. Mais, ne l'oublions pas, c'est dans son esprit seul qu'elle l'est.

Il y a chez le professeur un refus de considérer la valeur en soi du savoir-faire. Il y oppose, en bon Français, le pourquoi-faire. L'esprit français semble préférer la spéculation intellectuelle au sens pratique, et c'est sans doute son préjugé intellectualiste qui lui fait croire la première supérieure au second. Mais que vaudrait le pourquoi-faire sans le savoir-faire? C'est aussi boiteux que le second sans le premier. On ne corrige pas un mal en lui préférant l'excès contraire.

La conscience technique est le grand mal, selon Ellul, c'est le cancer de la société depuis le commencement de la science moderne. Mais peut-être que c'est justement la conscience technique (la conscience d'atteindre un but par des moyens pratiques) qui va permettre au monde de survivre. Si on restait avec la mentalité des Huns, où en serait-on? L'humanité comme ensemble devient de plus en plus consciente de ses pouvoirs, elle est de moins en moins «innocente», elle est devenue calculatrice; elle doit prévoir et diriger davantage qu'autrefois; c'est au-delà que se trouve le salut. Comme pour l'adolescent qui découvre l'instrument utile mais délétère que sont l'esprit d'analyse, la logique, la dialectique, ainsi l'humanité doit accepter les inconvénients de la science et dépasser la fascination pour celle-ci dans un sens enrichi de l'ensemble. Ce n'est pas sans la science ou l'attitude scientifique, mais avec celles-ci et malgré elles, que l'homme contemporain deviendra responsable.

Le savoir-faire technologique est nécessité par le nombre: plus il y a de monde, comme à Mexico, à New York ou dans les mégalopolis de l'avenir, plus il faudra de l'organisation, des moyens immédiats, rapides et au point. Mais ce serait faux de ramener ces valeurs à une formule magique. Aucun maire de métropole ne croira que les moyens qu'il emploie sont magiques; de toute évidence, ce sont tentatives, tâtonnements, progressions par essais et erreurs. Mais, bien entendu, cela veut dire qu'au préalable, l'on ait accepté la ville, ses problèmes autant que ses privilèges.

Le Professeur Ellul oublie que par la technique, l'homme a acquis un sens de l'analyse tel, que jamais comme aujourd'hui on n'était devenu *conscient de la «technique»* — ce qui est un effet normalement contraire à ce qu'elle produit. Il oublie aussi que chaque courant contient son contre-courant dialectique — ce qu'il n'admet pas lui-même à l'intérieur de son texte, en reconnaissant «l'autre côté de la médaille». Il voudrait enfermer son raisonnement dans une forme close et à l'abri de toute réfutation; voilà pourquoi il prédéfinit la technique comme invincible et inévitable. Ainsi Ellul, pensant qu'aujourd'hui l'on estime par-dessus tout la technique, plaide en faveur de son contraire, avec d'autant plus de conviction qu'il a noirci à l'envie et à l'avance l'inculpée. Voici comment il argumente: «Si l'homme disait: «La technique n'impose pas de nécessités, je suis libre à cause de la technique ou en dépit d'elle», ce serait la preuve qu'il est totalement déterminé.» Mais cette conséquence n'est valable que si on croit d'abord que la technique prive l'homme de toute liberté. Il suffit, pour parvenir à telle conclusion, de poser les bonnes prémisses, en définissant la technique comme «cette fascination absolument irrésistible que l'homme éprouve devant les moyens efficaces.» Telle est la logique simpliste — réductrice — de Jacques Ellul.

Voici un autre préjugé qui gauchit la position de cet analyste-logicien: la civilisation aurait existé avant la technique, mais elle serait incompatible avec celle-ci. Or, cela n'est vrai que pour celui qui définit la civilisation comme distincte de la technique et même comme lui étant opposée. On sait que pour Ellul, «l'humanisme technique» est une expression contradictoire. Mais que serait un véritable humaniste qui 1) refuserait de voir les faits tels qu'ils sont, les déplaisants aussi bien que les autres, plutôt que les résorber dans une théorie confortable; 2) serait aveugle aux valeurs de la technologie autant qu'à ses malheurs; 3) refuserait d'assumer les responsabilités de son temps, en restant dans celui-ci, sans se réfugier dans le passé; 4) désespérerait de l'homme moderne aux prises avec la technique? Ellul s'arrange pour rendre la technique incompatible avec l'humanisme de son cru. Mais c'est peut-être son humanisme de rétroviseur qui est incomptabile avec une technologie prévisionniste.

Le professeur considère l'homme moderne fasciné par la technique, alors que lui-même se montre fasciné par le passé. Voyons comment cette attitude prend corps. «Dans le passé, écrit Ellul, quand un individu entrait en conflit avec la société, il menait une vie dure et misérable qui exigeait une vigueur qui le durcissait ou le brisait. Aujourd'hui, le camp de concentration et la mort l'attendent; la technique ne peut tolérer des activités aberrantes.» Le procédé est ici fort clair, c'est le départage en bons et méchants. Poursuivons. «Le temps donné à l'usage des techniques était court, comparé au temps de loisir accordé au sommeil, à la conversation, aux jeux, ou, mieux que tout, à la méditation... La technique ne fonctionnait qu'à certains temps précis et bien définis; c'était le cas de toutes les sociétés avant la nôtre. La technique ne faisait pas partie de l'occupation de l'homme et n'était pas un sujet de préoccupation.» Ellul veut sans doute parler de la vie de cour et de monastère, certainement pas de la vie paysanne. Car dans celle-ci l'on se servait toujours de machineries primitives, et on souffrait amplement de leur inefficacité. Qu'on n'ait pas passé son temps à inventer de meilleurs instruments ne prouve en aucune façon que la vie était plus agréable et plus pleine de sens.

L'homme du passé était, selon Ellul, l'homme idéal. Cet homme ne donnait pas son attention à l'instrument ou à la manière de faire, mais il voyait la technique comme soumise à l'homme, non comme un dieu: il en attendait peu. L'homme du moyen âge n'était pas préoccupé de confort tel que nous l'entendons. Le confort était un sens de l'ordre moral et esthétique. L'homme cherchait à vivre dans la beauté des espaces ouverts et larges. Ces préoccupations, affirme imprudemment Ellul, nous sont «totalement étrangères»!

Ellul dit encore à l'éloge de cet âge d'or: «Les lois étaient peu nombreuses, ainsi que les institutions.» Mais naturellement: les gens étaient moins nombreux, de même que les situations et les façons de penser! Que l'on essaie d'éviter les nombreuses lois de la circulation, du commerce, de la propriété, de la propreté, dans une ville contemporaine! Le problème en est un de multitude et d'urbanité autant que d'urbanisme: comment l'homme d'aujourd'hui peut-il vivre en ville et retenir sa liberté, son espace, sa vie privée (en présupposant tout d'abord la liberté de venir en ville — ce qu'Ellul songerait peut-être à refuser à l'homme), comment peut-il être mieux instruit et retenir sa spontanéité, plus personnel et cependant plus conscient d'être en société. Ellul considère le moyen âge sans tenir compte des deux côtés de la médaille: il ne voit que la lumière.

Car il faut aussi dire que l'homme (surtout s'il ne vivait ni à la cour ni en monastère — et qui n'eut point le bonheur de paraître dans les idylles romanesques de l'époque), que cet homme vivait ignorant, pauvre, malade, à la merci du brigand et du loup, du seigneur et de la mesquinerie des mondes clos, et surtout, qu'il mourait jeune. L'époque d'Attila n'était pas un roman rose, ce n'était certes pas la belle histoire de Tristan ou la tendresse d'un Ronsard. Pas étonnant alors que l'homme de cette époque n'avait pas beaucoup d'intérêt pour le monde technique, comme le prétend Ellul: l'homme du moyen âge songeait simplement à se tenir en vie sans trop de malheurs!

Ellul dit qu'aux temps passés, l'homme n'était la victime d'aucune contrainte totale, parce que rien d'absolument bon par rapport à tout le reste n'avait été découvert. Il oublie ici la théocratie monolithique du moyen âge, les croisades («Crois ou Meurs»), l'Inquisition et ses séquelles qui imposèrent une seule vision: on n'osait pas ne pas croire. Si l'on rétorque: mais il ne s'agit pas du domaine spirituel, il s'agit plutôt de la technique. Je réponds: C'est précisément parce que les techniques, par exemple le livre, n'étaient pas un bien universellement répandu, mais la possession de quelques-uns, qui régnait une hiérarchie verticale et absolutiste. Il y a contrainte parmi les hommes dans la mesure où il n'y a pas de tolérance, mais une seule façon de voir imposée à tous.

Le professeur affirme que l'homme moderne, par opposition à son prédécesseur idéal, peut être remplacé par la machine. Désormais, l'homme ne pourrait agir qu'en vertu de sa nature la plus basse et commune, non de ce qui le rend supérieur. Voici comment l'auteur décrit un pilote d'avion. Celui-ci fait un avec sa machine, mais, immobilisé au milieu d'un réseau de conduits et de tubes, il est aveugle, sourd et impuissant. Ses sens ont été remplacés par des cadrans qui le renseignent sur ce qui se passe. Par exemple, un appareil électro-encéphalographique inséré à même le casque, peut l'avertir d'une raréfaction de l'oxygène, avant que ses sens aient pu le faire. «Le technicien se sert de la technique, parce que c'est sa profession, mais il le fait avec adoration, parce que pour lui la technique est le lieu du sacré. Il n'y a ni raison ni explication à son attitude.» De plus, le technicien, l'homme-type de l'ère de la technique, serait un calculateur froid, amoral, sans spiritualité. Voilà des propos remplis de mauvaise foi.

Dans cette caricature, on ose à peine reconnaître un Neil Armstrong, homme charmant, plein d'humour, bon père de famille, qui met pied sur la lune avec un mot d'esprit, qui lit un texte biblique au milieu de ses cadrans entre lune et terre, et qui est un technicien de première valeur — sans faire pourtant exception dans le monde d'aujourd'hui. Ellul oublie que le scientifique en laboratoire n'est pas réductible à celui-ci: lorsqu'il y est, il éloigne ce qui peut nuire à son attention: émotions, opinions, réactions personnelles, difficultés de ménage — il doit être froid, amoral et attentif à la matière, à son problème. Mais il ne vit pas qu'au laboratoire, et cela Ellul, comme beaucoup d'autres qui ne vivent que dans la logique, l'a négligé. Le technicien a aussi une vie privée, sentimentale, familiale, spirituelle. Ce n'est pas l'astronaute qui ne tient pas compte de cette seconde moitié, c'est Ellul, qui ravale l'homme à la seule technique!

Le professeur considère que les équipes de techniciens modernes n'ont aucun sens des relations humaines. Il leur oppose les guildes et fraternités d'autrefois. Il ne connaît donc pas la camaraderie qui lie nos techniciens, qu'il noircit à loisir au profit d'un nébuleux concept de fraternité plus profonde, réservée aux hommes disparus? «Les hommes n'ont pas besoin de se comprendre pour conduire un avion, pour poursuivre les plus importantes entreprises de notre temps.» Est-ce dire que naguère on se comprenait mieux? Qu'on ne se querellait pas entre paysans, qu'on s'y connaissait vraiment «en profondeur»? Parler du monde technique comme d'un monde clos, à l'exclusion de tout autre, c'est n'en voir que la moitié, c'est aussi injustement oublier la mesquinerie, l'intolérance, la cruauté possibles d'un monde villageois. Ellul préfère ce type de fermeture? Libre à lui — de le retrouver dans le passé.

Revenons à sa description du pilote d'avion: elle est significative. «Il doit être calme, d'égale humeur, sans égotisme, plutôt d'âge mûr, et fixé dans son choix de vie; les joies et peines ligotent l'aptitude technique.» En conclusion, «l'individu qui sert la technique doit être complètement inconscient de soi.» Ellul préférerait-il que l'avion fût piloté par un artiste émotif, ou un homme qui mêlât ses problèmes personnels à sa vie professionnelle, surtout quand il s'agit d'être responsable de la vie de quelques centaines de voyageurs? Dire que le pilote est esclave de la technique, qu'il ne pense qu'à elle, c'est n'avoir rien compris ni à l'homme moderne, ni au sens que celui-ci donne à la technique. L'homme d'aujourd'hui est beaucoup plus libre vis-à-vis de la technique que Jacques Ellul ne voudra jamais l'admettre, parce que lui-même la rejette, parce qu'il en est lui-même sur-fasciné. Le pilote sert le public, on ne lui demande pas de chercher un sens spirituel ou métaphysique au vol qu'il conduit, mais de mener ce groupe d'hommes d'une ville à une autre. (C'est d'ailleurs ce même rôle que jouaient naguère le passeur de bac, le coulie chinois, le canotier italien, le conducteur de diligence — l'historien Ellul l'aurait-il oublié?)

Jusque dans le domaine de la musique, l'esprit du professeur Ellul a porté sa pointe amère et acérée. Ellul voit par exemple le jazz comme l'opium du peuple noir esclave. Prisonniers dans l'esclavage, les Noirs par leur musique fermèrent petit à petit toute porte à la liberté. Il est très significatif, dit-il, que cette musique d'esclavage soit devenue la musique du monde moderne! Mais il ne faut pas s'étonner que le professeur français méconnaisse à ce point le sens du jazz, et cela, pour au moins trois raisons: 1) cette musique est inséparable du monde urbain, dont elle exprime l'agitation et la pulsation à travers les rythmes de l'âme américaine; 2) le jazz est aussi une expression parfaite du pluralisme moderne, où l'improvisation de chacun se joue sur une harmonie commune; 3) le jazz représente une liberté au milieu de la frénésie et de la coercition modernes, dont il sort vainqueur par sa créativité. Je soupçonne Ellul de n'aimer point le jazz, pas plus que l'Amérique, ou la technologie ou la vie urbaine — choses qui sont fort apparentées et s'appellent mutuellement.

Pour Ellul, la musique contemporaine est devenue pure technique, soumise à l'automation, dépourvue d'humanité. Il n'y aurait plus dans aucune des musiques actuelles (électronique, concrète) la nécessité d'un interprète — situation que le professeur juge néfaste. Or, c'est connu, le créateur lui-même est devenu l'interprète, réalisant la fusion idéale qui n'avait jamais pu être atteinte, l'unisson où l'on peut créer des formes constamment renouvelées au lieu de répéter un texte prescrit. Dans la musique «classique», il est maintenant devenu possible de faire ce qui avait été jusqu'ici réservé à l'improvisation de jazz. Cette remarque n'est pas un préjugé en faveur de la beauté des musiques électroniques ou concrètes, mais elle pose les questions sous un autre éclairage, celui des possibilités nouvelles de la créativité.

Ellul, en réduisant tout à la technique, perd le vrai sens des choses mêmes. Il n'est pas vrai que celles-ci perdent leur identité, qu'elles sont soumises à la technique, mais c'est Ellul qui cesse de les voir: sa vue infléchie l'empêche de reconnaître les choses et les valeurs. C'est là l'effet d'une obsession.

Il voit dans le fait que l'homme ne peut prévoir la totalité des effets de la technique qu'il emploie, une faiblesse due à la technique même, alors que cette faiblesse est due à l'homme. Ellul commet la même erreur que Marcuse, Lefebvre, Marx, Rousseau: pour les cinq, ce n'est pas l'homme le coupable, mais une force étrangère et néfaste: la technique, le système politique, le quotidien et le moderne, les classes, la société. C'est là une attitude irresponsable. Or, l'homme est pris au piège de ses conditionnements: il est enclos dans une cage spatio-temporelle. Ce qui n'est pas prévisible pour lui, c'est la succession des conjonctures, la concaténation des problèmes et solutions; c'est toujours dans un de ces chaînons que nous nous trouvons et, s'il faut développer le long-terme, il est impossible de prévoir tout l'enchaînement des phases successives. En d'autres mots, ce qui fait problème, ce n'est pas de concevoir un homme achevé, idéal, c'est-à-dire, qui n'a jamais existé, comme par exemple, celui de Teilhard ou l'homme pré-industriel d'Ellul, le bon sauvage de Rousseau ou l'homme originel de la Genèse — c'est d'avoir à le considérer en son état actuel, d'avoir à le suivre au long des péripéties inédites. C'est le parcours qui est périlleux, puisqu'il n'est pas de recette qui nous fasse lier d'un bond l'immédiat et l'avenir très éloigné. Ellul prétend que l'homme est devenu esclave de la recette, de la formule magique; mais au contraire, il est plus que jamais conscient de la limite des solutions trouvées, et son éveil devant les problèmes écologiques est preuve qu'à la fois, comme l'admet d'ailleurs Ellul, il est impossible de prévoir tous les effets d'une solution, et qu'il ne faut pas pour autant cesser de régler les problèmes *à mesure* qu'ils se présentent. Ellul rend la technique impossible à éviter et impuissante à éclairer ou guider l'homme. Il *pose* des conditions contradictoires, il bouche toutes les issues («il est sot... il est vain de...») pour montrer ensuite dans quel pétrin se trouve l'homme, et combien lui, le professeur perspicace et dégagé, a eu raison. Mais c'est dans sa tête que la concaténation des propositions s'établit avec une logique qui n'est justement que cela. On ne reconnaît point l'homme réel, avons-nous dit, ni les situations réelles, mais un raisonneur et des données ravalées au rationnel. Ellul produit un mythe et emploie un langage propre à le fonder — un ouragan de généralisations et de logique passionnée. Le mouvement torrentiel qui emporte tout au passage, c'est bien la recette, la «technique» de Jacques Ellul; et c'est en même temps le langage de l'auteur, emporté, tyrannique, blindé de préjugés. La technique d'Ellul, c'est du terrorisme verbal.

Henri Lefebvre

La fonction que le professeur Ellul attribuait à la technique, le philosophe Henri Lefebvre la réserve à la quotidienneté. Selon ce dernier, la société terroriste est une force aveugle qui assujettit tout homme et toute chose. La force de la terreur est d'être anonyme et inévitable: «Elle ne se localise pas; elle naît de l'ensemble et du détail; le «système... saisit chaque membre et le soumet à l'ensemble, c'est-à-dire à une stratégie, à une finalité cachée, à des buts que seuls connaissent les pouvoirs de décision, mais que nul ne remet véritablement en question... Ses «valeurs» n'ont pas lieu de s'expliciter; elles vont de soi. Elles s'imposent.» Et cette force incontrôlable et universellement contrôlante «a pour support et pour objectif l'organisation de la quotidienneté.»

Le projet de Lefebvre est louable: retrouver le sens de l'homme en dehors des lieux jusqu'ici reconnus comme seuls philosophiques — l'être, l'existence catégorisée, la profondeur —, en replongeant l'homme dans l'ordinaire, le granulaire quotidien, puisque c'est là que ses valeurs, ses desseins, ses possibilités se jouent et peuvent seuls trouver leur vrai visage. Lefebvre essaie de rapatrier la métaphysique à l'intérieur du physique; il poursuit un projet semblable à celui de Merleau-Ponty, qui veut se placer au sein de l'homme-phénomène, pour y saisir dans le mouvement même de la démarche humaine, le procès de la pensée qui avance au rythme de la promenade. La pensée philosophique n'existerait que dans cette promenade, ce parcours intériorisé, cette union charnelle avec l'écoulement des choses, fusion plus proche de l'invention artistique que de la *réflexion* sur les actes et les phénomènes.

Toutefois, Lefebvre, dans son admirable dessein, s'emballe dans le système-se-bâtissant-malgré-lui. Le quotidien devient une chose-en-soi, de simple biais sur l'homme qu'il était. Le biais devient point de vue biaisé. Le quotidien devient cette force organisationnelle qui détériore et pulvérise progressivement l'homme. Au départ, le quotidien n'a pas de sens, puisque le temps en lui-même n'a pas de structure, le sens et la structure se recouvrant mutuellement. Mais on pourrait rappeler que si le temps n'a pas de structure *a priori*, il peut avoir un sens. Et dans la mesure où il a un sens, il a une structure. Dès lors, le quotidien ne serait plus tenu d'être cette force folle et anonyme, il peut être le lieu du sens.

Lefebvre ne peut résister au besoin de créer un système, d'abstraire la vie de l'homme dans un quotidien insensé. Il tombe dans le cercle clos que s'était créé Ellul. Le quotidien est répressif et personne ne peut en échapper. «Toute société de classes (et l'on n'en connaît pas encore d'autres) est une *société répressive*. La «stratégie de classe» a peut-être un «sujet», mais il n'est pas observable; il se «construit» par la connaissance, après coup.» Aussi, n'est-il pas de moyen d'atteindre les vrais responsables, puisqu'ils ne sont pas identifiables. Aussi, l'homme est-il totalement impuissant: son conditionnement le pousse à nourrir la machine qui le conditionne. L'aujourd'hui est le lieu unique et la prison infinie: l'homme y est maintenu par le souci du quotidien et la nécessité de ne pas y échapper. Même la fuite par l'ivresse, au lieu de le libérer, le ligote davantage, puisqu'il y cède à la publicité qui lui promet justement la délivrance.

Que l'homme soit conditionné, nous ne saurions le nier. Qu'il soit conditionné au conditionnement progressif, nous ne saurions l'accepter. C'est là négliger trop de facteurs, c'est simplifier la complexité réelle au nom d'un système parfaitement cohérent, philosophiquement séduisant. Ainsi, *ce sont les propositions que l'on rend* impossibles à éviter, piégiées; ce sont elles qui tissent ce rets de mots que le lecteur ne pourra faire éclater. Mais c'est un monde de second palier qui joue au-dessus de la réalité. C'est un exploit de cirque: un survol fascinant. En tissant la terreur à même sa définition du quotidien, Lefebvre rend celui-ci terrorisant.

Suivons le processus que lui-même décrit et où, apparemment à son insu, il expose son propre jeu: «Pour qu'il y ait essentialité..., des conditions nécessaires, dont nulle ne suffit, se découvrent: une activité, une organisation, une institution à partir du métalangage et de la chose écrite. À ce titre, l'art, la culture, peuvent prétendre au rang d'essences, de sous-systèmes. Ils réunissent les conditions. Ils existèrent de façon vivante, avant leur propre concept, dans les oeuvres. Après quoi, au nom du concept (de la connaissance) et du métalangage, on peut s'imaginer que l'art et la culture existent «en soi», en dehors des oeuvres et non dans les oeuvres. Alors qu'il y a dans cette érection abus de langage, usage de métalangage et désillusions immanentes au «second degré»... Le philosophe commence par classer les arbres, opération légitime. Puis il prend les poiriers et pommiers comme incarnation du Poirier en général, du Pommier en général, et ceux-ci pour les incarnations de l'arbre en général, ou Idée de l'Arbre. Après quoi il attribue à l'Idée... le pouvoir d'engendrer les arbres réels, poiriers et pommiers.» Et voilà justement ce que fait le philosophe Lefebvre au cours de *La Vie quotidienne dans le monde moderne*. Il classe la vie et l'expérience de l'homme selon des Idées: la Mode, le Quotidien, le Moderne, la Société Terroriste, oubliant que ce ne sont là que «tranches», «régionnements», «coupes entre parenthèses». L'homme, semble-t-il oublier, n'est réductible à aucune de ces Idées: pas plus au quotidien qu'à la culture, à la mode qu'à l'existence, à la terreur qu'à l'être. L'homme ne vit pas en fonction de «la mode», de la «société terroriste», de la «répression universelle», du «quotidien» comme concepts autonomes. (Dire que l'homme en est inconscient, c'est inventer une prémisse qui se réfute sur-le-champ, car si l'homme en est inconscient, comme se fait-il que toi, le philosophe, tu en sois conscient? Ou serais-tu d'une espèce différente? Et si tu l'es, comment prétends-tu parler de l'homme ou à l'homme ou au nom de l'homme?) C'est là pratiquer la même spécialisation de vision qu'on reproche à la science et qui a morcelé l'homme en îlots à la dérive. Réduire l'homme à un concept, c'est aussi néfaste que le diviser en mille sujets d'étude.

La nouvelle rhétorique qui rationalise et fausse la réalité par l'abstraction systématique ou se gargarise des «métamorphoses explosives de l'homme», voilà le vrai terrorisme, et il faut le dénoncer.

2 LES MYTHES DÉPASSÉS

Victor C. Ferkiss

Parmi tous les auteurs qui ont traité des problèmes de l'homme aux prises avec la technologie, aucun ne semble avoir atteint la sagesse de Victor C. Ferkiss. Le but de son livre, *L'Homme technologique,* est justement de départager le mythique et le réel dans toute la littérature qui exagère les malheurs ou les valeurs de la technologie. Il reconnaît que le danger pour l'homme actuel n'est déjà plus dans l'autonomie ou le triomphe de la technologie, il est dans la subordination de celle-ci aux valeurs passées, et dans son exploitation par ceux qui ne comprennent pas ses implications mais cherchent seulement des fins mesquines.

Après une étude complète de l'évolution de la technologie des conditions de son existence, des diverses attitudes vis-à-vis du phénomène, l'auteur fait éclater une série de bulles mythiques.

1) *Le mythe de l'élite technique.* S'appuyant sur une impressionnante documentation, Ferkiss affirme que ce sont encore le business-man, le consommateur, les présidents, les parlementaires, l'opinion publique, c'est-à-dire, à tout prendre, *l'homme bourgeois,* qui décident ce qui doit être produit et en quelle quantité. La recherche scientifique ne domine pas dans les universités, même dans celles de l'Amérique. Le scientifique à l'ouvrage n'est pas son propre maître, non plus. Il n'a pas en main les rênes politiques: il n'a aucune base de pouvoir (il travaille pour des industries qu'il ne contrôle pas), il ne fait pas partie de l'élite économique (la façon de s'enrichir n'est pas d'avoir un salaire, mais d'investir habilement), il ne peut obtenir de pouvoir politique (pour cela, il faut être politicien ou administrateur). Plusieurs scientifiques tiennent de hauts postes au gouvernement, mais ce n'est pas en tant que scientifiques, c'est en tant que scientifiques devenus bureaucrates; ils ne sont guère représentatifs des scientifi-

ques et peu respectés de ceux-ci. C'est encore le politicien professionnel qui est «en haut».

Les métiers, le travail manuel, la production en série continuent. L'automatisation ne réduit pas l'emploi manuel, bien au contraire; elle ne produit pas non plus le chômage ou une domination par l'élite technique. Si l'automatisation augmente, le groupe de travailleurs augmente aussi: il y a toujours plus à faire. La technologie a augmenté la centralisation, au moyen des ordinateurs, des maisons d'affaires, de sorte que toute activité est dominée par quelques centres où se prennent les décisions.

2) *Le mythe d'une société des loisirs.* L'automatisation crée-t-elle une société des loisirs? Non, pas pour le moment, ni même pour la génération prochaine. Nous avons en fait moins de temps libre. Le loisir appartient encore au riche et à l'indépendant. Le loisir et le terrain privé sont encore des signes d'inégalité sociale.

3) *Le mythe de la société sans classes.* Dans des pays tels que la Grande-Bretagne, la France, l'Allemagne, la Scandinavie, les État-Unis d'Amérique, les possessions sont aux mains des riches. Même en Russie, il y a grande disparité entre bureaucrates et travailleurs. Les standards de vie augmentent partout, mais les différences demeurent, si elles ne s'accroissent du même coup.

4) *Le mythe de la banlieue.* On ne se désurbanise pas, au contraire, les banlieues sont remplacées par des aires urbaines, des mégalopolis, qui sont des grappes de villes.

5) *Le mythe du «village global».* La technologie n'a pas affecté en profondeur le sytème capitaliste-industriel. Ce qui émerge, c'est un pluralisme d'intérêts conflictuels, un néo-fédéralisme dans lequel tous cherchent leurs fins économiques ou bureaucratiques, sans aucun plan d'ensemble. L'homme contemporain, c'est essentiellement l'homme bourgeois avec de nouveaux outils et jouets. On s'en va vers une décentralisation progressive, une diversification infinie, un accroissement de nationalismes — autant de réactions contre l'universalisa-

tion des moyens techniques. Le néo-nationalisme est devenu un moyen de conserver une certaine autonomie au milieu de l'intégration envahissante. Ce n'est pas le monde qui est un village global, mais la nation. Les mass-media unissent les nations sur un plan, mais celles-ci se protègent de l'envahissement universel en accentuant leur individualité, comme nous le voyons au Québec, en Bretagne, en pays basque. La terre n'est pas rassemblée par la communication globale. Aucun Nord-américain ne voit par les yeux du Cubain, du Russe ou du Congolais, ce que voient ceux-ci sur leur écran de télévision. Les perceptions de chacun sont aussi variées que par le passé. Il n'y a pas de culture mondiale. Le village mondial créé par l'électronique est en vérité un mythe produit par les mass-media eux-mêmes.

6) *Le mythe de la culture de masse.* Il y a culture de masse où la civilisation industrielle a détruit les groupes intermédiaires qui empêchent l'élite de dominer la masse. La civilisation d'aujourd'hui produit au contraire un accroissement de *spécialisations,* de *groupes intermédiaires.* Plus il y a industrialisation, moins les gens se ressemblent, et plus il y a organisation de seconde dimension. Il n'y a pas de masse possible comme telle dans la société moderne. (Même Mao et Staline n'ont pu empêcher la diversification au niveau des organisations locales comme des doctrines.) Or, ces diverses institutions ne sont pas sans pouvoir. Qu'on évoque seulement quelques-unes d'entre elles qui existent aux États-Unis: l'American Bar Association (légistes), l'Air Force Association, l'American Medical Association, l'American Jewish Committee, la General Motors, les Églises, la National Rifle Association (armes à feu), l'association des débardeurs, les différents États, les Black Panthers, les groupes de radicaux. Quant aux cultures, loin d'y avoir standardisation et centralisation, c'est la diversité au point de l'émiettement absolu. Chaque personne est en voie de devenir une sous-culture autonome. Programmes, auditoires, opinions, revues, magazines, tout se spécialise.

7) *Le mythe du gouvernement tout-puissant.* Plus un organisme est complexe, plus il est vulnérable. On le voit avec les bombes, les assassinats de personnalités, la piraterie de l'air, les grèves de policiers, d'hospitaliers, de postiers, les pannes d'électricité. Ceux qui craignent que le gouvernement parvienne un jour à tout contrôler peu-

vent être ici tranquilles. Il est techniquement possible de surveiller chaque individu, mais c'est pratiquement impossible et trop coûteux; ce serait un monstre trop lourd à porter, requiérant un personnel trop nombreux, une machinerie à laquelle il faudrait dicter ce qu'elle devrait retenir. Un contrôle complet ne serait possible que dans une société totalement fermée et où les différences et les initiatives seraient prohibées. L'idée du «brainwashing» ou d'une surveillance par micros-miniatures («punaises») appliqués à toute une population, paraît terrifiante, mais elle est peu pratique, et l'efficacité dans une telle conjoncture ne serait pas un élément négligeable. Or, de plus en plus, la justice nord-américaine défend les valeurs de la vie privée contre l'ingérence policière et publique. Il n'y a pas pour le moment d'évidence que la société technologique tende vers un contrôle progressif de l'individu.

8) *Le mythe du nouvel homme.* La famille ne perd pas sa valeur dans le contexte d'aujourd'hui: les parents décident encore du choix de la maternelle et de l'école primaire; les liens entre parents et enfants, même adolescents, sont encore solides; le divorce aux USA n'est pas en croissance (il est plus élevé parmi les pauvres, cependant); et d'ailleurs, la famille américaine a toujours été plutôt lâche, encore plus par le passé que de nos jours. Quant à la révolution sexuelle, Alfred Kinsey lui-même nie que la technologie ait eu une influence sur le comportement sexuel. Il y a toutefois une plus grande ouverture en ce domaine, une plus grande diversité dans les moeurs, mais peu de changements dans les pratiques sexuelles, surtout chez les jeunes gens. Le masculin et le féminin changent de valeur, mais les liens de famille en sont guère affaiblis. Les hippies ont des enfants, et, selon Kenneth Keniston, les jeunes aliénés veulent une grosse famille afin de se créer un monde tout à fait privé. Cependant, les enfants illégitimes et les maladies vénériennes (chez les jeunes) ont augmenté sensiblement.

La technologie produit-elle l'aliénation et la violence? Ferkiss répond que les maladies mentales n'augmentent pas, mais les gens vivent plus longtemps, et des malades sont maintenant catégorisés qui autrefois passaient pour de simples excentriques. De plus, les maladies mentales sont aussi nombreuses en campagne qu'en ville. Quant à la violence, le crime est habituellement associé à la jeunesse, et comme la masse de celle-ci augmente, les offenses criminelles se multiplient. Mais les actes violents étant presque tous relevés par la police, alors qu'ils ne l'étaient pas au 19e siècle, on peut avoir l'impression que le crime pullule en société technologique. Enfin, les crimes pathologiques ont augmenté, mais statistiquement, ils ne sont pas nombreux. Par contre, la technologie peut avoir rendu la violence moins réelle et plus désirable, car lâcher une bombe par la pression d'un bouton, c'est à la fois moins violent et beaucoup plus que couper au rasoir la gorge de sa victime.

Contrairement à Jacques Ellul, qui voyait déjà la «technique» envahir le monde, Ferkiss soutient que la civilisation industrielle ne sera peut-être pas universelle, que les divisions et différences se multiplient à mesure que les plus avancées des nations progressent. Quant à la religion, elle aura diminué à cause de la technologie et de la vision scientifique, et elle ira ainsi en diminuant. Le christianisme et la modernisation sont de moins en moins identifiés; on peut être moderne sans le premier. Cependant, c'est aux USA, la société technologique par excellence, que la religion a le plus de force à l'heure actuelle, et là qu'elle se renouvelle avec le plus d'énergie. La science et la religion y ont cessé d'être ennemies. Selon Peter L. Berger, la religion au 21e siècle cessera d'être une force sociale d'envergure, et la foi sera concentrée dans de petites unités.

Victor Ferkiss conclut son livre en disant que l'homme technologique n'existe pas encore et qu'il n'est pas sûr qu'il puisse jamais être universel, mais qu'il est l'homme des sociétés aspirant à la civilisation technologique. Comme prototype de cet homme de l'avenir, il présente l'astronaute: un homme comme tous les autres, qui ne parle ni n'agit en héros, soldat ou aviateur, mais en homme d'affaires, comme un super-technicien de grande intelligence, de courage modeste, un homme parfaitement adapté, «cool». En parlant de ses exploits, l'astronaute s'exprimera en termes rigoureux et austères: sa bravoure est réaliste et détachée. Mais il n'est pas moins humain pour autant: au contraire, mieux que la plupart, il semble comprendre la faiblesse et les limites de l'homme et la grande foi qu'il faut pour mener à bout l'aventure de l'exploration spatiale. Son humour est la meilleure garantie de son humanité.

Ce genre d'homme dont les exemplaires se multiplient au point de devenir un fait coutumier, nous indique déjà ce que Ferkiss entend par la révolution existentielle, qu'il faudra préparer avec des soins et prévisionnements infinis. L'homme technologique devra prévoir l'avenir, le pressentir sinon le prédire, développer une nouvelle philosophie de la société basée sur les besoins de l'avenir. Il faut développer le sens des priorités à long-terme, par exemple, en se posant les questions suivantes: La science doit-elle s'occuper des pauvres actuels ou des gens à venir? Est-il préférable que *tous* atteignent un niveau très élevé? Y a-t-il une manière optimale de vivre? Comment définir le bien-vivre? Combien y aura-t-il d'hommes qui décideront ces choix? Combien de liberté peut-on accorder et de quelle nature doit-elle être définie, dans le domaine de la drogue, de la sexualité, de la violence, de la contestation? Rien ne peut être laissé au hasard désormais, car l'homme est devenu de plus en plus maître de ses moyens.

L'attitude de l'homme technologique devra se développer selon trois paramètres:

Un nouveau naturalisme. L'homme fait partie de la nature, et l'univers est un processus dynamique; il s'agit non de conquérir la nature, mais de vivre en harmonie avec elle. (Nous reviendrons sur ce thème vers la fin du présent essai.)

Le nouvel «holisme». On doit se rendre compte que tout est interlié: esprit-corps-société-nature-monde. Il faut acquérir un sens des ensembles.

Un nouvel immanentisme. Se rappeler que la vie existe à l'intérieur des systèmes, non en dehors d'eux ni sans eux. Car la liberté n'est pas en dehors de la nature: c'est dans celle-ci qu'elle s'exerce.

L'homme doit diriger son évolution en contrôlant sa technologie, qui en est le moyen de choix. Mais il le peut seulement dans la mesure où il le veut. L'individu devient de plus en plus autonome, en même temps que progressivement sensibilisé à l'univers; la multitude des communications le définit davantage sur une toile de fond, qui prend vie et s'émeut comme une chair intime: l'humanité. Ainsi, le monde s'en va vers un accroissement de complexité et d'individuation, à l'instar peut-être de l'univers en perpétuelle expansion. Mais, ce ne pourrait être qu'à travers le dessein personnel que l'unité de l'ensemble prendrait valeur et volume.

Le monde se complique et se complexifie à mesure que nous avançons; ce mouvement est irréversible et s'étend à tout domaine où l'homme d'aujourd'hui est impliqué.

3 L'ANTI-AMÉRICANISME LATENT

Il y a au fond du rejet de la technologie et de son étourdissant cortège, une attitude qui prend racine en deçà de toute argumentation, dans les replis non-rationnels de la prime enfance. L'attitude défensive, le refus de l'aventure, la peur d'avoir à risquer un geste et d'en assumer les conséquences, le préjugé couvé et noué — ces biais sont manifestes dans certaines théories qui, comme celle du proto-pessimiste Cioran, tentent de faire échec à l'homme d'aujourd'hui. Ces positions anti-technologiques sont souvent mêlées (ou nourries) d'un vague anti-américanisme. Ceux qui désespèrent de l'homme moderne ou se montrent amers, déçus à son sujet, ont tendance à être contre l'Amérique.

L'anti-américanisme est devenu, comme tant d'autres idéologies récentes, une mode tout simplement. Il en a d'ailleurs les caractéristiques: l'éphémère popularité, le snobisme, la superficialité. Bien qu'il ne soit pas populaire, que dis-je, qu'il paraisse même indécent de se montrer favorable aux USA, je maintiens ma confiance dans l'homme technologique et la vision du monde nord-américaine. Avec Gunnar Myrdal, le Suédois qui se pencha avec tant de sympathie et de rigueur sur les faits sociaux, je crois malgré tout en l'Amérique, à cause de ses conversions toujours possibles. Un peuple qui, en cinq ans, passa d'un extrême isolationnisme à l'interventionnisme le plus ambitieux, qui passa de l'auto-confiance totale à l'auto-critique la plus sévère, du racisme obscurément nié au racisme ouvertement renié, d'une ivresse pour le combat à un refus de toute guerre — un tel peuple n'est fermé à aucun changement. Aucun pays n'apprend aussi vite que l'Amérique.

«Je ne connais, dit Myrdal, aucune nation sur terre qui puisse changer ses attitudes fondamentales aussi rapidement que l'Amérique. Et je sens que les conversions sont possibles dans la crise raciale.» Il ne faut pas oublier que l'Amérique est fort jeune; elle est présentement «en adolescence», et vient de sortir de son stade de naïveté; elle est entrée dans sa phase incrédule, désillusionnée, analytique, divisante, et la troisième étape, celle de la confiance-malgré-les-flétrissures, viendra en son temps. Ce jeune peuple n'a cessé de croître en tous sens. Or, ce qui rend un pays faible, ce n'est pas l'affleurement ou la prolifération des problèmes, c'est le refus de reconnaître ces problèmes et de vouloir les régler. En aucun pays au monde une minorité aussi grande que les Noirs d'Amérique ne trouvera avec autant d'urgence son autonomie, son visage particulier. En Amérique, les solutions sont pressées d'aboutir, comme les problèmes sont forcément mis à nu. L'avènement du Noir a à peine commencé à être posé en Afrique du Sud, et l'Angleterre comme la France s'est montrée raciste à meilleur compte que l'Amérique, le bouc émissaire universel. Mais n'est-ce pas justement parce qu'elle porte les espoirs en tant d'esprits, qu'on la jalouse à ce point et la raille au moindre accroc? On fait bien de regarder de près l'Amérique, car les problèmes qui s'y posent — puissance incroyable, droit des minorités, pollutions diverses, problèmes urbains, systèmes de justice, d'éducation, technologie, cybernétique, consommation, publicité — sont ceux que toute nation émergeante se posera tôt ou tard. Et les problèmes qui surgissent sur son chemin, l'Amérique est souvent la première à y faire face: elle explore et apprend au nom de la terre entière. Trop souvent, cependant, on entend critiquer passionnément l'Amérique par ceux-là mêmes qui, secrètement, se vautrent dans son abondance ou convoitent ses faveurs. Si l'on accepte les douceurs, commodités et excellentes productions de l'Amérique, il faut aussi avoir l'honnêteté d'en accepter les inconvénients. Du moins, faut-il reconnaître les bienfaits reçus et les appeler par leur nom.

Le Nord-américain est un bon exemple de l'homme que nous avons décrit comme *inchangé*: plus que tout autre, peut-être, il se pose des questions, repense sa direction, critique ses visées et son programme. Cet homme doit se maintenir en mouvement perpétuel à l'intérieur de ses limites et possibilités, et c'est en cela même qu'il demeure inchangé. Il a à trouver pour soi les solutions qu'aucun autre ne peut lui fournir, qu'aucune tradition ne pouvait transmettre telles quelles, que seule sa créativité actuelle pourra inventer sur place. Cela ne changera jamais chez l'homme: il crée toujours son Amérique, il a toujours foi en elle, il a toujours à tenir le vaisseau entre deux courants extrêmes, deux mers infinies qui le comprennent et le débordent. Qui peut connaître la route de l'Amérique? Qui se lèvera pour lui indiquer son destin? Qui lui dira quel rôle elle doit jouer et comment elle doit s'y prendre? Si cet homme n'est pas lui-même en croissance continue, il ferait mieux de se taire.

• • • • •

Certes, aucun système de gouvernement, l'américain pas plus que le russe ou le chinois, ne résout tous les problèmes, ne répond à tous les désirs de l'homme. Le système le moins imparfait ici — c'est tout ce à quoi l'on peut aspirer, semble-t-il —, c'est celui qui tiendrait compte de l'état inchangé et permanent de l'homme, c'est-à-dire, de son imperfection. Que le système *n'empêche pas*, qu'il permette à tous les membres de se réaliser, qu'il n'impose même pas une conception de l'homme éthique, puisque personne ne l'envisage de la même façon — voilà le minimum exigé d'un gouvernement. (Ainsi, la fille-mère en Suède n'est pas *entachée* comme dans une société moralisante; ainsi, l'acte privé entre adultes homosexuels consentants est retiré du domaine moral, dans des pays comme le Canada.)

Dans le système social idéal, la séparation entre l'expérience (chose intérieure et privée) et le comportement (chose publique et mesurable) serait pleinement respectée. Le système contrôlerait et réglerait le *comportement*, c'est-à-dire qu'il empêcherait les excès et créerait les conditionnements requis, sans jamais s'immiscer dans l' *expérience*. De ce point de vue, la démocratie capitaliste est le moins mauvais des systèmes: elle tient compte de l'imperfection humaine, au lieu de partir, comme le communisme, d'un homme supposément parfait (l'homme du peuple, sans classe), sans égoïsme, totalement généreux et sans individualisme excessif ou vie personnelle échappant au regard du Parti. Elle tient compte de la distinction essentielle entre personne et état, et met cependant la personne au premier rang quant aux valeurs fondamentales (droit à la vie, au travail, à l'éducation, à la justice, liberté de parole, de mouvement, d'opinion, de religion, de rassemblement). Elle respecte l'égotisme foncier de l'homme: le droit à la propriété, à la carrière personnelle, à la vie privée, à la réputation, à l'auto-défense. Mais elle supposerait, pour être parfaitement adéquate, que chaque individu fût également éclairé et impliqué pour que vraiment ce soit le peuple qui gouvernât. Autrement, la démocratie tend d'elle-même à être une oligarchie gouvernant des individus trop diversement responsables. Et de fait, les démocraties actuelles n'en sont pas encore: ce n'est pas vraiment le peuple qui choisit son destin.

Le système capitaliste, qui semble avoir été identifié à la démocratie, est déjà remis en question par des socialistes tels que Michael Harrington et Peter Drucker. Selon Harrington, il y a moyen de rendre moins injuste la distribution des richesses et le pouvoir du vote, peut-être même de dépasser la mystique du travail onéreux et obligatoire, pour entrer dans une ère de loisir. En ce sens, le communisme, qui oblige chacun à travailler pour le Parti et fait du travail l'impératif moral de chaque conscience, n'est pas mûr pour la société de loisir. Le communisme n'offre pas de réponse satisfaisante à l'homme hautement individualisé du vingtième siècle, comme la démocratie n'offre guère la possibilité pour une minorité de représenter adéquatement une majorité de plus en plus affinée et critique.

Les sociétés seront toujours inégales les unes par rapport aux autres. Et à cause de cela, il n'y aura jamais de paix dans le monde. Il n'est même pas sûr que la paix soit la meileure chose: car pour certains pays cherchant leur identité, la guerre est vue comme une expérience valable. Il n'y aura pas de paix aussi longtemps qu'un seul pays voudra faire la guerre, qu'un seul homme refusera l'ordre établi. Chaque homme vit son rythme, exerce et déploie ses passions différemment, sans nécessairement les contenir; ou s'il les contient, ce n'est pas nécessairement à la façon d'un autre. Or, en chacun les vices et les inclinations existent et exigent. On peut souhaiter qu'un jour les conditions sociales qui les entretiennent seront éliminées, mais on ne peut que le souhaiter: qui va le faire? Comment programmer telle évolution? Comment forcer les individus à changer, à *se* changer? Il n'est pas de moyen magique, de recette venue de l'extérieur. Et aucun individu, comme aucun pays, n'est au même point en ce domaine.

Ce n'est pas seulement la pauvreté qui crée l'inégalité et la division. Même parmi ceux qui ont de l'instruction et de l'argent, par exemple, aux USA, on trouve des insatisfaits, des révoltés, des criminels. Il suffit qu'un seul dans une société décide de pratiquer une guérilla pour que tout soit gâté. Il ne suffit donc pas que des conditions «idéales» soient offertes: elles ne sont pas reconnues pour telles par chacun. Et si on offre de l'instruction pour tous (sans l'enforcer, bien sûr) et que certains n'en profitent pas, il en résultera des inégalités, des oppositions, de la violence; mais si on la rend obligatoire, alors on enrégimente, on devient totalitaire. Si on fait de la propagande pour attirer les citoyens vers les hautes études, on conditionne les gens; mais si on donne valeur à l'instruction au point de la rendre nécessaire pour accéder aux moindres postes publics, alors on aura créé un système, semblable à celui qui existe présentement. Ainsi, on ne peut vraiment éviter toute inégalité, tout conditionnement, toute division. Le système ne peut jamais changer l'homme, même si l'homme change constamment et améliore le système — ce qu'il doit faire sans relâche, bien sûr.

Il est vrai que la société conditionne l'homme. Mais l'homme ne pré-existe pas au conditionnement, pas plus qu'il ne pré-existe à la société. Exister, c'est être limité par devant et par derrière et peut-être de tous côtés. L'homme naît conditionné, sa naissance est le premier conditionnement. Le médium est ici le message (et le fut pour McLuhan naissant comme pour tout autre!). Cela s'exprime par le cordon ombilical, le passage par l'utérus, l'asphyxie initiale, la voix de la mère, la main du médecin, le climat du pays, le type du premier visage aperçu, la qualité du premier sourire, etc. La société est précisément un groupe d'hommes conditionnés de telle façon et recevant en son sein d'autres êtres à conditionner. Il n'existe pas d'état non-conditionné, d'État non-conditionnant — puisque être conditionné, c'est être limité, c'est être-de-l'enclos. Il est donc faux de dire que la société conditionne l'homme, si l'on entend par là qu'il ne l'est pas à l'avance, ou qu'il n'y est pas disposé.

On peut chercher une société qui soit la plus permissive, ouverte, non-coercitive, qui propose et offre le plus de possibilités culturelles. Mais l'homme qui y vit sera encore conditionné, c'est-à-dire, il sera l'homme de cette société, non de telle autre; puisqu'il n'existe pas de société neutre, chimiquement aseptique; toute société véhicule des penchants, des préjugés, des sous-entendus, du non-pensé, du non-rationnel. Il ne faut cependant pas cesser de reculer les barrières sociales, les préjugés, les incompréhensions inutiles. Il faut tâcher de dé-conditionner en n'imposant pas une façon d'être, mais en laissant à chacun le plus large éventail de choix possibles dans le mode d'exister et de penser. Toutefois, il n'est pas possible à l'homme d'éviter des contraintes, des législations, pas plus que l'homme ne peut éviter les modalités de son être.

Les lois sont nécessaires parce que l'homme n'est pas uniquement ni partout ni toujours raisonnable, mais motivé par du non-rationnel qui peut être utilisé comme source de révolte et de désordre. On peut arguer que les lois existent plutôt parce que le système au pouvoir y cherche son intérêt et qu'il y a des lois de circulation à cause des voitures dangereuses. Mais, d'une part, il n'est pas dans l'intérêt d'un gouvernement de créer des lois, car cela le rend coercitif et odieux;

d'autre part, même le jour où les autos n'offriraient plus de danger, il y aura encore nécessité pour un conducteur de n'être pas empêché par ceux qui le croisent. En d'autres mots, c'est parce qu'il y a multiplicité, nombre, diversité, positions, pluralisme d'attitudes, qu'il faut des lois pour respecter ces conditions. C'est parce que l'univers n'est pas *un* et que l'homme n'est pas totalement dévoué, généreux, achevé, mais en route, qu'il faut des lois. Les lois et institutions sociales assurent le minimum de générosité, par exemple, au moyen des taxes, du code routier, des règles de politesse.

Les lois civiles sont des signes-témoins que l'homme doit être contenu à l'intérieur de ses limites, elles confessent pour lui les frontières de son être. L'homme qui refuse d'accepter ses conditionnements enfreint dès lors ses lois individuelles, et naturellement, celles de la société, c'est-à-dire, la part sociale de lui-même. Celui qui n'accepte pas la nécessité de vivre en société ne s'accepte pas lui-même entièrement. Mais vivre en société ne signifie pas y subir toutes les contraintes en vigueur. L'homme peut et doit sans cesse critiquer les abus et limites de la société — les institutions qui sont des habitudes d'une société —, comme il doit le faire à l'égard de lui-même — ses habitudes personnelles étant des institutions privées.

L'homme doit accepter ses limites pour vivre en société, bien plus: pour vivre tout simplement. De même, il doit y vivre pour connaître ses limites et possibilités, en se mesurant à celles des autres. Il est entouré de voisins comme il est pressé de conditionnements et de limites existentielles. Il est en aquarium, et c'est là qu'il doit apprendre à nager, c'est de là qu'il doit accepter de voir le monde et d'en être conditionné, circonscrit, défini. Alors seulement commence pour lui la grande nage libre. Sa liberté sera toujours aquatique. Mais l'eau peut soutenir l'homme ou le noyer, selon qu'il accepte de nager ou non.

DEUXIÈME
PARTIE:

L'homme en croissance continuelle

CHAPITRE DEUXIÈME:

L'HOMME CROYEUR

> «The great world, *the background,* in all of us, is the world of our beliefs.»
>
> (*Wm JAMES*)

L'homme est un croyeur. Il croit volontiers, il se croit lui-même comme il croit son monde: ces deux «champs» constituent son «aire de croyance». Il croit sa vision du monde, ses sens, ses expériences. Les plantes sont réelles, croit-il, elles sont pour ses doigts vertes et tendres et bougent lascivement dans le vent; l'air est bon, il fait jour, la terre est ferme, la voix porte. Et l'homme croit que ses jambes peuvent le promener, comme il se fie sur la respiration, le processus digestif et la circulation liquide à l'intérieur de son corps.

Tout homme est croyeur, même celui qui n'a pas la foi religieuse. Il pourra se croire lucide, libéré même de toutes «croyances», mais il oublie que, s'il n'est pas *croyant,* il est tout de même porté à croire. Comme la plupart, il croit sans hésitation à la médecine, il croit la science, il croit implicitement à la valeur de ses possessions, fait confiance à la monnaie, se fie à la banque, aux compagnies d'assurance, à son avocat, son marchand, son tailleur; il croit à la valeur de ses investissements futurs, à la fortune bienveillante de la Bourse, il s'aventure avec hardiesse dans une affaire risquée, il a foi en l'avenir, peut-être même croit-il à la bonté des hommes, à la paix éventuelle, à un «grand soir» de l'Humanité. Il se lance dans l'aventure amoureuse en croyant qu'il a choisi le meilleur conjoint. Il croit sans hésitations certaines personnes: «Si c'est un tel qui l'a dit, c'est sûrement vrai». Il fait ainsi confiance à ses amis. Il se fie sur ses talents de séducteur, d'homme d'affaires, de beau parleur, de musicien, de sportif, sur ses dons extérieurs, sur sa mémoire, son flair, son intelligence. En d'autres mots, l'essentiel de sa vie se fonde sur une région obscure, celle de la «fiance», de l'abandon au non-rationnel.

L'homme — même s'il se dit par ailleurs incroyant — nage dans ce non-rationnel, sa vie repose sur ce mystérieux sous-bassement; il n'a pas le temps ni la capacité de tout contrôler, de tout appuyer sur la raison, sur des raisons solides, ou même sur la science: *il doit faire confiance.* Le mouvement, la force de la vie l'y obligent. Il a besoin de s'aventurer pour vivre. Autrement dit, l'homme ordinaire se fie sur des habitudes, qui sont non-rationnelles au moment où elles se font habitudes, et remplacent le besoin de tout contrôler. Au niveau des besoins premiers, du somatique, du psychique, du sens et de la direction de la vie, c'est une attitude instinctive qui domine, c'est l'habitude qui soutient les suprastructures.

Que l'homme ne dise pas que sa vie est basée sur la raison ou qu'il est défini par le raisonnable. Il a confiance au lever du soleil, au mouvement des marées, au bon temps qui fera suite à la pluie, à la guérison d'une récente blessure. Si ce sont tous des actes d'espérance, c'est que la croyance du vivant est quête, recherche, et qu'en réalité, confiance et espérance sont indivises. L'homme est en mouvement et sa croyance épouse naturellement le rythme des êtres.

L'incertitude ne dispense pas de croire. Bien au contraire, c'est parce que rien n'est ici absolument sûr qu'il y a lieu de croire, d'opter dans le risque. C'est parce que l'on n'a pas de connaissance certaine sur l'ensemble, mais des sciences qui ne jettent leur éclairage certain que sur des points fort particuliers, que l'on est poussé à croire. *C'est parce que le monde est ambigu qu'il faut croire,* c'est-à-dire, opter pour un point de vue qui exclut tous les autres. Il n'est pas de visions «a Deo» de l'univers ni peut-être de toutes les choses qu'il contient, il n'est point d'interprétation unique, mais un matériau susceptible des opinions les plus diverses et contraires.

L'homme ne commence pas par se créer une théorie, pour ensuite agir. Bien avant la première réflexion, l'enfant a déjà posé les gestes fondamentaux et enregistré les empreintes matricielles de son dessein futur. C'est depuis longtemps que l'enfant a agi lorsqu'il pose son premier geste de critique logique. Il est donc tout à fait normal que la grille intellectuelle d'un homme — qu'il soit penseur, philosophe, théoricien quelconque ou simplement réfléchi — soit déjà dans l'oeuf et à l'oeuvre dès les premières années de la vie, comme le confirme la psychologie moderne. En effet, nous savons que les fondements de ce que sera chaque individu sont établis avant l'âge de cinq ans, c'est-à-dire, avant l'apparition de la fonction logique. Nous savons aussi que de la naissance à quatre ans, le cerveau enfantin dispose de 50% de ses capacités d'apprendre. De plus, il est maintenant connu que le foetus est déjà intelligent, qu'il a des émotions et des rêves. C'est dire que pendant cette période de suprême sensibilité, d'étonnante possibilité, l'homme est ouvert au monde prérationnel, et même supra-rationnel. La théorie, les raisonnements savants et subtils qui chercheront plus tard à se désavouer ce fait, n'y reposent pas moins: l'homme, en raisonnant, ne fait que défendre sa vision pré-rationnelle, son parti-pris émotif du monde. Il passe sa vie à se justifier, bien qu'il n'appelle jamais cela ainsi, mais plutôt: construction d'un traité philosophique, érection d'un «système d'idées», élaboration d'une échelle de valeurs. Les «idées» sont en fait la partie visible de la banquise, elles reposent sur l'obscur fond qu'elles désignent de toute leur éclatante blancheur. Les idées sont des émotions dressées, habillées, — ou déshabillées.

Teilhard de Chardin avoua que toute son aventure scientifique et sa vision du monde inspirée par la science, prenaient source dans l'unique passion que, tout enfant, il réservait à la beauté des pierres veinées. Mani, le fondateur du célèbre manichéisme, maugréa contre la méchanceté du monde, car il avait depuis le jeune âge, beaucoup souffert d'une jambe tordue. Le pessimisme de Schopenhauer remonte également à une amertume psychologique accumulée dès l'enfance. La «philosophie» de Rousseau prend racine dans son enfance d'orphelin, marquée par le sentimentalisme excessif et l'«innocence» prolongée. Aussi chercha-t-il le monde protecteur d'une maîtresse qu'il pût appeler maman. Il avait la complexion d'un antinomien typique: monté contre le système civil, contre toute discipline, toute forme d'obligation sociale, qui l'eût forcé à sortir de soi, il se promenait à travers le monde des choses comme un être sans loi, sans rigueur, sans obligations ni responsabilités. Il faisait un «bon sauvage» manqué.

Un autre penseur qui fut autant un ingénieur qu'un architecte, Buckminster Fuller, attribuait sa vision de l'avenir, son sens de la grandeur, sa soif d'universalisme, à sa presbytie d'enfance: ne pouvant voir une foule de choses, on croyait qu'il était demi-aveugle jusqu'au jour où on découvrit que c'était parce qu'il voyait les choses de plus loin.

Jean-Paul Sartre fournit un excellent exemple contemporain du système d'idées justifiant un «projet d'être» initial. Incapable d'aimer et d'être aimé dès le bas âge, l'enfant Sartre dut toujours chercher en dehors de la voie commune une façon de s'accommoder du monde et de se rendre la vie endurable. Les personnages qui n'étaient pas Jean-Paul devinrent toutes des «pour-soi» cherchant à faire du petit bonhomme un «en-soi», comme lui-même, par les yeux et la pensée, exerçait à l'égard des autres la même phagie. Effrontément, Sartre se déclarera dénué de tout «sur-moi»; mais son sur-moi est précisément sa philosophie qui le *justifie* en tout. Il ne peut voir son monde autrement, conditionné qu'il est par son regard d'enfance, mais c'est bel et bien ce regard qui, défendu par la raison, l'emprisonne sans recours. Sartre se justifie toujours: il en sort justifié, comme un homme parfaitement fidèle à sa vocation — «Saint Jean-Paul». Ainsi, le monde du pour-soi/en-soi tisse un réseau dont ne peut plus sortir l'adolescent Sartre. Aussi, sa conception de la liberté est-elle restée prise dans cette toile d'araignée. Somptueuse toile, et combien! Mais toile tout de même. Et le festin de l'araignée fut sa propre liberté.

Je crois, avec Williams James, que les philosophes, autant que les autres, se construisent un système pour justifier leur option pré-rationnelle. Par la raison, ils essaient de donner raison à leurs sens, alors que c'est leur attitude pré-rationnelle qui donne sens à leur raison. Par la raison, ils cherchent des raisons de croire ce qu'ils croient, c'est une forme camouflée du «fides quaerens intellectum — de la foi cherchant l'intellect». Or, selon l'historien Butterfield, l'auto-justification est le défaut majeur de l'homme au cours des âges. C'est là une autre façon pour l'homme de vouloir se sauver soi-même, d'échapper à ses limites, de les refuser en faisant appel à une «raison».

L'homme ne veut pas vraiment la liberté de se regarder en face et d'assumer ses limites. Il se protège derrière le paravent d'un système d'idées ou se cherche un bouc émissaire: son passé, ses conditionnements. Il ne veut pas devoir son «intelligence» du monde à une racine non-rationnelle. Aussi n'avoue-t-il jamais que, s'il pense de telle façon, c'est dû à son parti-pris d'enfance, à un préjugé émotif, pré-logique.

Mais il faut dire au philosophe: «Ne sois pas vain! Car si tu ne te rappelles pas ton commencement, celui-ci par contre se souvient toujours de toi, il *subvient* à l'essentiel de ta vision!» Le vrai philosophe est en effet celui qui se *rappelle* son origine et la maintient incessamment dans son champ de vision, car il sait que, somme toute, être philosophe, c'est se connaître soi-même, en suivant cette montée continue de l'être surgissant comme une question qui se rit de toute réponse. Connaître son sens, la direction que depuis la naissance a prise la personne et qu'il s'agit bien plus de reconnaître que de manoeuvrer. Trop de philosophes cherchent le système. Hors Socrate, Merleau-Ponty, Merrell-Wolff et William James, la foule de ces théoriciens-moralistes à la remorque d'un appareil sans faille, jonche le champ intellectuel de leurs systèmes de défense, et perpétue l'hymne à l'auto-justification inconsciente.

L'homme est un être amibigu qui se justifie du biais qu'il a pris. Tout ce qu'il peut faire, c'est justifier son biais; il ne peut se dispenser d'en avoir un. Parce que l'homme est un être sommé de choisir, il ne peut exister que biaisé: il ne saurait choisir «tout» ou opter pour un point de vue «universel». Aussi se trouve-t-il justifié de son parti-pris: s'il est pessimiste, tous les événements pourront être interprétés dans l'idée de confirmer son attitude, et s'il finit par se suicider, cet acte final lui sera la preuve qu'il «avait raison». Personne d'ailleurs ne pourrait le convaincre du contraire.

L'homme naît donc croyeur. Ce n'est pas la raison qui le guide dans sa fusion avec le monde, mais tout ce qui précède la raison: l'obscure puissance animale, le domaine du psychosomatique, de l'instinct, de l'inconscient, du psychologique: ce que nous appellerons le non-rationnel. C'est de cette étoffe que sont faites les premières habitudes, et la raison n'arrive qu'une fois les empreintes fixées, les pliures bien prises, la psyché et le somatique bien engagés, gagnés à l'univers.

C'est comme si l'homme avait besoin d'être en tout premier lieu «pris» par le non-rationnel, afin de pouvoir devenir un monde et entreprendre l'aventure de la vie; comme si l'homme avait besoin d'être empoigné par la base, par les entrailles, pour poursuivre sa question jusqu'au bout. Comme si l'homme devait, pour tenir le coup, être soudé au monde par une fusion qui précède toute raison. Le lancement de l'homme a lieu à la veille de sa raison, et ce qui l'engage à l'incessante montée, ce n'est pas la raison encore endormie, ce sont les forces vitales et fusionnaires, les forces d'avant la division, les forces où il n'entre aucune analyse, mais où l'être fait confiance, fait un avec le monde. C'est comme si l'homme avait besoin d'être pris dans un piège à séduction, pour enfin supporter les déchirements futurs, les analyses critiques. Comme si l'homme avait besoin d'être tissé d'une seule pièce avec les choses par des habitudes qu'il ne peut contrôler, pour entreprendre la grande tournée. L'homme a besoin d'être conditionné pour *être* tout d'abord, et aussi pour acquérir le ressort qui le soutienne. L'homme commence par l'habitude; il est intégré au monde par l'habitude, avant de l'être par habitude. Il est conditionnement; son goût de la fantaisie et de l'ivresse, s'appuie sur fond d'habitude; c'est parce qu'il a fait fusion avec l'univers et se trouve en confiance — habitué — qu'il peut s'y sentir pleinement à l'aise.

L'HABITUDE

L'habitude est assimilation: tendance à rendre semblable. L'assimilation du monde par l'homme, et de l'homme par le monde. L'homme et le monde deviennent un. En effet, la vision du monde est habitude.

Certaines habitudes ne dépendent pas de la volonté: telles sont les fonctions organiques, l'image renversée spontanément corrigée par l'oeil, ainsi que les mécanismes qui initient l'enfant à la vie — sa façon de reconnaître la mère, de se familiariser avec les objets, les sons, les formes, les couleurs, les regards, les mouvements. D'autres habitudes sont acquises au moyen de la volonté. Mais au moment où elles sont habitudes, elles échappent à celle-là et sont intégrées à l'écologie de tout l'être. Telles sont l'apprentissage d'un métier, d'un instrument, d' *une* discipline ainsi que l'acquisition de *la* discipline, de la ténacité.

Tout réfléchi tend à rentrer dans le non-réfléchi — qui est, ne l'oublions pas, le point de départ chez l'homme. Tout ce qui est étranger tend à devenir originaire, tout espace extérieur tend à devenir environnement, extension de l'homme, son champ d'action familier; tout conscient tend à devenir inconscient, à être bu par la mémoire — à devenir part submergée de la banquise. L'homme est le plus grand des assimilateurs; de tous les animaux, le plus semblable à son milieu.

Lorsqu'on aborde un métier, un sport, qu'on prend connaissance de quelqu'un, on est conscient de l'altérité, de la division entre soi et l'objet extérieur. On apprend par exemple à voir avec des lunettes ou des verres de contact. Au début, on s'irrite, fort conscient de leur présence et de la distorsion du paysage; petit à petit, *on ne voit plus les lunettes, on ne sent plus les verres* — mais seulement la chose là-bas, et la courbure déformante que produisent les verres est oubliée, résorbée dans une machinerie inusable et silencieuse. Le médium (le verre) devient le message (le paysage vu au loin). L'outil-objet est devenu extension de l'homme; la vitre est devenue fenêtre; l'unité est restaurée entre l'homme et l'univers.

Par habitude, de gauche (étranger à la mécanique du réel), on devient adroit, «naturalisé». L'univers devient le JE. Le passé s'engrosse aux dépens du présent. Car l'habitude est le passage de l'Autre au Même. Ce sont des poussières de temps et d'espace qui se font corps autonome et continu; c'est le passage de l'hétérogène à l'homogène, de l'étalage d'objets à l'atelier, d'un décor à un monde. L'homme est pris dans le monde au moyen de l'habitude.

Bien que celle-ci rende l'homme répétitif et domestiqué, elle permet aussi d'offrir à la recherche une assiette essentielle. L'habitude: ce qui nous dispense de reprendre constamment le connu, afin de pouvoir s'occuper de l'inconnu; de faire des gestes, afin de vivre. Sans l'habitude, on passerait son temps dans l'apprentissage — ce qui n'est pas du tout la découverte. L'habitude abaisse le seuil d'angoisse en rendant familier l'inconnu; mais par là-même, elle peut engourdir la curiosité. Toutefois, l'habitude est avant tout un facteur d'économie, non de paresse, n'en déplaise à Jean-Jacques Rousseau. (La paresse n'apparaît que lorsque l'homme, devant un problème ou un inconnu, se rabat sur la recette.)

L'habitude, c'est une prise sur le monde — ou la prise que le monde a sur un homme —, la longe qui retient l'homme dans la réalité. Elle fonde le corporel sans qu'intervienne le logique; c'est la part submergée de la banquise.

Dans la journée d'un homme ordinaire, combien de gestes non-conditionnés par l'habitude? Bien peu. Même la façon de saluer un étranger — l'inconnu — est une habitude. On affronte l'inconnu avec des habitudes. L'habitude facilite, lubrifie le passage du connu à l'inconnu: c'est notre passerelle vers l'inconnu. Mais elle peut, si elle s'accumule comme un feuilleté, former une croûte imperméable.

Le geste créateur, c'est celui où l'inconnu, l'inappris, vient compléter le connu, joindre le spontané à l'appris. Pas de geste créateur absolu, mais l'extension d'un conditionnement, comme un bras sortant du corps. Dans l'homme, il y a toujours un fond d'habitude, son somatique est système d'habitudes, réseau d'habitudes, continuité d'habitudes. Le corps trempe dans le passé, il est humide de passé, et cependant, c'est sous la poussée de l'habitude qu'il traverse le temps.

Même les habitudes de penser sont somatiques: la pensée nouvelle qui surgit à travers les mailles de l'apprentissage est seule non-habitude, mais dès le second regard, elle rentre dans le connu; d'Autre elle devient Même. Un jour donc, on entend une musique nous arriver comme un pur don, toute gratuite, neuve, naissante, furieuse. Elle n'a pas de nom, et n'est inscrite en aucun de nos muscles: elle joue de notre matière vibrante comme d'un instrument naïf. Mais une fois qu'elle est apprise, c'est nous désormais qui la jouons. Ainsi, on n'entend jamais plus la Cinquième Symphonie de Beethoven: on l'attend plutôt. On sent moins qu'on ne pressent. La mémoire libère la capsule «5e de Beethov», on entend la suite de sons devenus nos habitudes, notre paysage et notre passion; on habite Beethoven, on a envahi son domaine, on est un *habitué.* Jamais plus on ne pourra imaginer le monde sans cette musique; jamais on ne pourra s'imaginer l'entendant pour la première fois, car on ne l'entendra plus comme chose toute neuve naissante avec soi. Sauf peut-être si un jour, se retrouvant soudain dans la même lumière et avec la même passion qu'à la première audition, nous faisions une seconde fois le chemin interdit.

L'homme créateur, c'est un homme dont l'attraction de l'inconnu entraîne tout à sa suite; chez lui, la curiosité, l'esprit de pointe, de recherche, est toujours en état de veille en quelque région de son être, de sorte qu'entre les systèmes de réflexes conditionnés, l'esprit établit des liens inédits, découvre des parentés latentes. C'est un homme dont les habitudes, au lieu d'être des freins, sont mécanismes ouverts, en alerte par l'antenne foreuse, par le courant qui les électrise.

Les habitudes sont ambivalentes. Deux hommes peuvent acquérir plusieurs réseaux d'habitudes semblables, et cependant, chez l'un — le créateur —, les habitudes ne sont pas obstacle mais socle; tandis que chez l'autre, elles sont des incapsulations, des hibernations, des enclos contre l'inconnu, l'aventure, la fantaisie. Bien que les habitudes soient essentielles à l'homme, elles peuvent donc empêcher la créativité. (En cela, elles sont semblables aux institutions, ces habitudes sociales.) Mais on ne peut être créateur sans des habitudes de quête, d'ouverture, de curiosité, d'inventivité; la créativité, c'est l'être ayant *l'habitude de créer.*

Le créateur qui se croit dispensé d'apprentissage ou croit être créateur justement parce qu'il ne suit aucune règle, est un adolescent qui s'ignore; il est crédule. Curieusement, il acquerra l'*habitude* de penser ainsi — pour se garer contre l'ordre, les lois, les restrictions, les obligations. Un homme finit ainsi par se croire en dehors de tout système, de toute habitude, de toute coutume, mais, curieusement, il s'habille tous les matins (se conforme à des nécessités quotidiennes), il a des gestes et un jargon typiques (son comportement le définit), il répugne à certains mets (donc, il a des habitudes fort exigeantes), il regarde le monde du fond de ses yeux habitués (qui s'expriment par les récurrences dans ses oeuvres).

L'habitude est l'acte naturel de l'homme croyeur: son corps croit l'univers et ce sont ses habitudes qui le déclarent. Par l'habitude, l'homme est un avec son monde. Quand on se regarde faire un geste coutumier, on perd la spontanéité, le geste redevient conscient et se fait bête, nous paralyse même. Et cependant, inévitablement cette montée à la lumière se fera, elle doit se faire: la raison doit pénétrer dans le réseau des habitudes pour que l'homme ne soit pas que conditionnement, ou pour qu'il reconnaisse en quoi il est conditionné. Car l'habitude est une valeur ambiguë: elle relie l'homme à son univers, elle crée la vision du monde, mais en cela même, elle enchaîne, limite et conditionne l'homme. Elle met frein à la croissance. Pour croître, l'homme ne devra s'appuyer sur ses habitudes que pour les dépasser, en faire des tremplins, non des gabarits. C'est dans l'habitude que la créativité de l'homme est à l'oeuvre. Il y a toujours danger toutefois que celle-là puisse étouffer celle-ci dans l'oeuf. Et si la raison doit surveiller ces pentes de l'habitude, elle-même n'est point créatrice.

Il y a dans l'habitude une fidélité. Tenir jusqu'au bout demande de l'habitude, même plus que cela, un sens de la quête, un esprit vraiment créateur qui se déplace à mesure que le but avance. Dans la vraie fidélité, on retrouve peut-être le meilleur de l'habitude: sa discipline et son ouverture. En effet, l'habitude chez le créateur est souplesse autant que dressage. L'habitude peut être une foi: la poussée qui sous-tend une poursuite infinie.

LE NON-RATIONNEL

L'homme est fondé non pas sur la raison, mais sur toutes les puissances fusionnaires qui l'habitent et «montent» son mystérieux appareil. L'homme est fondé sur la croyance spontanée du monde tel qu'il lui apparaît: sa vision, sa version du monde. Et c'est pour que cette première prise soit installée que la raison n'apparaît que plus tard. L'homme a besoin d'être pris avant de pouvoir prendre; il faut qu'il opte pour un point de vue, devienne point de vue, avant de pouvoir avancer.

Quand je dis: «Je sais que le monde existe, je sais que la vie a un sens, je sais que l'homme en vaut la peine», c'est l'équivalent de dire: «Je crois...» Ce sont pour moi des évidences que je ne saurais prouver, et donc que je ne discute pas, c'est pris pour acquis, pour point de départ, fondement. Ainsi, affirmer «Je crois que le monde est bon», c'est offrir une interprétation, car on peut avec la même assurance dire le contraire. Quand on peut avec même sûreté affirmer le contraire, c'est basé sur une foi, c'est-à-dire, que l'on croie ou pas, aucune position ne se prouvera et on ne peut attendre d'en avoir la preuve pour s'engager. *Ce n'est que là où il n'y a pas de preuve que la foi est possible.* C'est pourquoi, on ne pourrait croire au Dieu prouvé par le logicien, et c'est aussi pourquoi le Dieu en qui je crois, aucun logicien ne pourra me convaincre de son inexistence: car je devrais nier du même coup l'existence du logicien, puisqu'il existe à mes yeux dans le même mouvement qui fonde l'existence de ce Dieu.

Le non-rationnel qui précède la raison, continue de la précéder tout le long de la vie: c'est l'infrastructure qui fournit l'attitude fondamentale et asseoit les habitudes de base. Le non-rationnel est inavoué, mais il motive et colore les gestes de toute une vie.

L'univers est le matériau servant à construire une vision du monde. Car pour l'homme, c'est sa vision du monde qui lui fait voir l'univers: les deux sont interchangeables. Le monde c'est la vision du monde. Le monde est la façon dont l'homme fonde et justifie sa perception; le médium est éminemment le message: ce que l'homme voit, c'est son propre dessein projeté, son intime projet rayonné dans le monde. Son regard, c'est son préjugé; son préjugé, c'est son langage, sa démarche, son tempérament, sa constitution, son humeur, sa carte de défauts, ses opinions politiques.

La vision du monde, c'est le territoire de son existence; la direction que prend l'univers à son point de vue; une perspective unique d'un paysage n'existant qu'aux yeux qui le projettent. Chaque homme est seul à être dans sa position vis-à-vis de l'univers; aussi, son point de vue partiel ne peut-il être que partial. L'homme, point de vue sur le monde, croit naturellement à son monde, puisque lui-et-le-monde, c'est autant «ce qu'il croit» que «ce par quoi il croit». Au point de départ, l'extension de l'univers autour de lui, c'est lui-même, au même degré que son corps, et il n'est pas étonné que le monde entier semble graviter autour de ses désirs et regards: il est centre, il est nappe et champ, il se rayonne et se répand. Tout semble à l'enfant offrande d'hommage ou refus d'hommage. Et cette illusion apparaît nécessaire pour que l'enfant s'installe dans le monde, prenne place parmi les participants. Ce qu'il croit être don reçu du monde extérieur, est en effet habile pot-de-vin: la vie s'empare de l'enfant, en le rendant amoureux de cette terre, des êtres, de sa fête perpétuelle. Le jeu est commencé pour l'homme et, sans qu'il ait su comment ni pourquoi, il est pris dans l'arène. Il est né joueur.

Le jeune enfant peut maintenant jubiler à son aise et croître: il est à son insu dans les bras de l'univers, et son coeur désormais est pris. Bientôt les failles reparaîtront et l'enfant percera la tromperie, sa raison divisera, partagera. Offensée par la limite réelle des choses et de l'existence — et bientôt par l'incompréhensible mur de la mort —, la raison, croit-elle, prendra en main l'aventure et s'imposera en maîtresse sur les hommes et les choses. Mais comme un ver dans le fruit, elle minera la confiance naïve, en la remplaçant par ce qu'elle nomme l'esprit scientifique. Cela du moins est sûr, qui n'échappe pas au contrôle de la logique, ce qui est posé par la raison: le *positif*. Et pour s'assurer que l'homme ne tombera plus dans le piège du non-rationnel, elle isolera les sciences de toute autre connaissance moins fiable, plus trouble — qu'elle appellera sciences humaines, humanités, religion, mystique, poésie. Mais la raison est piégée. Car la spécialisation accrue divisera l'homme d'avec le monde, au point que les sciences ne se parlent plus entre elles, et que leurs buts et applications sont maintenant sans rapport avec les besoins entiers et fonciers de l'homme.

Aucune science n'étudie l'homme comme ensemble, car la science par définition est une pointe, elle tend vers la réduction, elle est concentrationnaire; elle n'étudie que des paramètres, elle régionne spontanément. Et en abordant l'homme, elle se penche sur des aspects, des tranches: sa chimie, sa microbiologie, sa cytologie, son hématologie, sa pathologie, son histoire, ses liens psychosomatiques, ses mythes et conditionnements, sa créativité et ses artefacts, son habitat et ses habitudes sociales. Prendre tout l'homme comme objet de science, cela est proprement contradictoire.

Mais ce l'est encore plus, si l'on tente d'étudier l'homme et la nature compris comme un seul tout: l'écologie universelle.

Or, l'aventure de la raison a mené l'homme aux limites de l'écartèlement: l'homme divisé en lui-même et dans ses connaissances, coupé des autres êtres, séparé de la nature. C'est aux dépens de l'homme que ses connaissances sont divisées et que son lien d'avec les autres êtres se trouve brisé. Et il ne semble pas que la raison réussisse guère à rassembler l'homme. Elle est la surveillante, l'analyste, mais elle est mauvais guide, elle n'est pas visionnaire, ne croit pas, n'espère pas; elle n'est pas sagesse. Elle dira: si on peut accomplir telle chose, il faut la réaliser, soumettant ainsi la technologie à un aveugle impératif. C'est le possible-en-soi plutôt que le désirable-pour-l'homme qui l'attire et l'obsède. Elle se dit ainsi totalement objective: tournée vers l'objet, amorale, sans métaphysique, donc irresponsable. L'avenir n'est pas son domaine propre. La science, en effet, n'a pas connaissance de l'avenir: elle ne se penche que sur l'acquis, le colligé, l'assuré, sur ce qui est fait et qu'elle appelle succinctement *les faits*. La raison, qui a la précision du microscope, en a aussi l'étroit champ de vision. Elle ne balaie que l'immédiat, et ce qui lui vient de l'intuition créatrice seule la rend prévoyante et prophétique. Mais dès lors, ce sont les forces non-rationnelles qui ont pris d'elle la relève. L'esprit logique est mauvais guide, mais il seconde merveilleusement, et en cela, il est indispensable.

La foi ou la confiance de l'homme n'est pas une attitude sans conséquences, purement gratuite. La confiance que l'on fait à la réalité, aux autres hommes, se manifeste dans les actes. Ce que l'on croit change quelque chose à son agir. La course, la nage, l'agile envol des mains du musicien sur les notes, la conversation, le silence, la façon d'aborder un ami ou une personne suspecte, le regard, les gestes entre individus qui se méfient — tout cela confesse une croyance, une attitude non-rationnelle qui s'exprime dans le tissu même de la vie. Si je crois qu'un Dieu est père de tous, que tous les humains sont vraiment mes frères, cela paraîtra dans mes gestes, sans même que j'y porte attention, cela se manifestera dans ma façon concrète d'aborder une personne, un étranger, ceux qui s'opposent à mes opinions ou qui me détestent et me violentent. Je n'aborde pas de la même façon quelqu'un en qui je crois et quelqu'un dont je me méfie: les vibrations sont fort différentes et le moindre tremblement de la main est un long discours. Si, par contre, ma foi en la fraternité universelle ne paraissait pas dans mes gestes les plus concrets, c'est que je n'y croirais par réellement: je croirais y croire. Ainsi, ce que je crois change vraiment quelque chose dans ma vie. Et le même principe vaut pour les actes qui regardent l'avenir: si je ne croyais pas que le présent livre pouvait aider les hommes, je ne l'écrirais certainement pas. Une foi peut seule inspirer une action qui exige labeur, endurance, lutte et invention.

L'*implicite* définit le domaine du croyeur, du somatique, du nonrationnel. Ma façon d'aborder un ami exprime cet implicite, elle en est l'expression même, le «langage silencieux» dont parlent Edward Hall et Peter Berger, le langage de la gestuelle, aussi cohérent, détaillé et efficace que les paroles les plus explicites. Pas de division dans un acte de confiance authentique, pas la moindre coupure, mais un nappé de pure source. Et cependant, cette absence de coupure permet justement à la raison de faire son oeuvre. Parce que je n'ai pas à justifier par la raison ma confiance en la réalité, je puis conduire des analyses et ordonner, je puis vivre «raisonnablement» — mais l'infrastructure y est toujours sous-entendue, et si elle n'est guère souvent confessée par l'homme, elle est perceptible à l'oeil perspicace (ou simplement modeste) et se manifeste quand un jugement de valeur met à nu le fond émotif.

Mais l'acte logique lui-même est piégé, il faut y revenir. En effet, il y a danger que le monde du rationnel finisse par être considéré comme le seul réel, et que l'autre soit non seulement irréel mais peu fiable, même efféminé, sûrement le contraire de l'homme mûr. Or, l'homme mûr n'est pas celui qui est rationnel ou même avant tout raisonnable, c'est celui qui sait à quel point son monde rationnel est influencé par la non-raison et qui se l'avoue à lui-même et aux autres. Ce genre d'homme est rare, assurément. La plupart ne sortent pas de leur adolescence, l'adolescent étant ici celui qui reste crédule, qui prend sa vision pour l'unique, oublie qu'il est naturellement biaisé, que sa version du monde est un préjugé. Finir par croire aux habitudes acquises, aux coutumes établies, comme autant d'absolus, c'est là le danger du rationnel non-mûri. Croire trop son monde, ne pas avoir distinguer message et médium, ce n'est pas l'attitude d'un homme accompli.

Nous avons appris de McLuhan que l'environ tend à n'être pas conscient. Il le devient quand, derrière ce qui est vu comme le monde du bon sens, on distingue le monde non-rationnel de la prime enfance. Derrière le *vu* on perçoit l'*appris*. Nous croyions raisonnable ce qui était simplement agréable à nos sens et à notre bien-être, ce qui nous rendait bien avec le monde. L'homme qui croit à son journal parce qu'il s'y est habitué, n'est que conditionné; il est pris dans son *environnement* dont il ne peut se détacher, dont il n'est pas conscient, qui est implicitement lui-même; et cependant, s'il ne croyait pas cet environnement, il serait proprement déraciné, aliéné. Croire son monde n'est pas un acte rationnel; et cependant, il n'est pas raisonnable de ne pas y croire. Être tissé par l'habitude à son entourage, ce n'est pas fondé sur la raison; mais il n'est pas raisonnable de ne pas y être absorbé, de ne pas s'y appuyer.

Nous cherchons tous à retrouver de quelque façon un monde d'enfance et seule la foi peut nous y ramener. Mais elle n'est pas cette voie facile que l'on attendait; on retourne — c'est le seul «éternel retour» qui hante l'homme et comble son désir —, on retourne à la vraie enfance, on n'y retombe pas. La foi est un au-delà de la crédulité et des épreuves, elle est un «malgré», comme nous le verrons dans les paragraphes suivants.

Pour l'instant, ramenons à quelques propositions les idées exposées au cours de ce chapitre. Elles en seront la conclusion provisoire; car nous reprendrons ces idées un peu plus loin.

— Le monde et l'homme étant ambigus, tout l'homme est sommé de choisir, d'opter, de prendre position devant l'univers.

— Tout homme est croyeur de son monde; tout homme est naturellement un croyeur depuis sa naissance.

— Tout homme agit comme si le monde avait un sens — le sens qu'il a pour lui.

— Toute croyance réelle entraîne une différence réelle dans l'action.

— Croire n'est pas chose rationnelle; mais ne pas croire n'est pas raisonnable.

— L'homme est chercheur parce qu'il est croyeur.

— Le monde rationnel baigne dans le non-rationnel, c'est-à-dire la croyance.

— Le présent est grevé de passé, il est un feuilleté de passé. Et le passé n'est connaissable qu'à travers ce que je sens actuellement.

L'HISTOIRE

Le réel, nous l'avons vu, est ambivalent justement parce que l'homme en donne des significations qui dépendent autant de lui que du donné extérieur. *C'est d'où l'on est que les choses apparaissent:* le passé, le temps actuel, le langage et l'expérience que ce dernier véhicule. L'homme transporte dans son voyage à travers les choses son herméneutique initiale: elle est toujours présente; c'est toujours au présent que le passé est ramené, réduit, abstrait. Il n'y a qu'un point de vue possible pour chacun: l'aujourd'hui grevé de conditionnements passés.

Nous voyons toujours le passé par nos lunettes, c'est-à-dire, qu'il ne nous est jamais connu tel qu'il était, simplement parce que nous ne pouvons voir qu'à partir du présent, et que le passé doit être enfilé par le présent pour être compris. Même notre enfance est filtrée par notre attitude présente. Or, l'on ne peut s'entendre ni sur les interprétations du présent, ni davantage sur celles du passé. En effet, quant à l'interprétation de faits actuels, la guerre au Moyen-Orient, les communismes, les problèmes de l'Amérique du Sud, le sens des mouvements de jeunesse, on ne s'entend pas. Nous voyons toujours comme le poisson dans l'aquarium: toujours à travers une eau d'aquarium; tout acquiert un air aquatique — entendez contemporain —, un peu comme ces peintres de la Renaissance qui représentaient les personnages bibliques dans les habits du jour, dans le velours des Flandres et le vair des Florentins. Et ce que nous voyons au-delà de l'eau et du verre nous apparaît naturellement liquide. Il n'est pas possible de connaître le vrai sens du présent puisqu'il faudrait de la distance pour l'objectiver.

Mais on fera l'objection attendue: «Justement, il faut la distance!» Oui, mais par la distance se perd quelque chose d'essentiel: le témoignage irremplaçable du *Lebenswelt* — ce par quoi un comportement devient une expérience. Ce n'est jamais le même homme qui a vécu et qui en parle. Et feuilleter les journaux d'une époque ne nous la fait pas connaître. On n'a qu'à se reporter aux journaux d'aujourd'hui: ils nous révèlent le sensationnel, pas la vie, les mots, non l'entre-mots* ou le sens porté par le sous-entendu social et culturel de l'époque. (Prétendre bien comprendre ce passé, c'est oublier que la vision du monde, c'est le monde; que le point de vue, c'est la vue même.)

L'Histoire est toujours une suite de faits *lus par quelqu'un*. L'histoire, ce n'est pas la lignée de faits ou d'événements réels, mais le rapport entre eux établi par un rapporteur, mais le reportage d'un témoin. La réalité est ici véhiculée, non vécue. L'histoire n'existe jamais telle quelle; et comme nous ne saurons jamais comment Jean-Sébastien ou Chopin jouaient leur musique — on peut toujours dire que «l'important c'est de connaître leur musique», oubliant que les improvisations de ces maîtres étaient sans doute leur meilleure création —, nous ne saurons jamais, à lire aujourd'hui les textes des auteurs, tout ce qu'ils disaient aux gens de l'époque, et tout ce que ceux-ci n'y ont pas mis et qui était peut-être une part essentielle du texte. Le sens est *donné* aux mots, qui se nourrissent du blanc qui les entoure, autant qu'il les rassemble.

L'histoire: les restes d'un repas, les ruines d'un passé. On ne pourra jamais reconstruire les bonheurs du banquet — le temps écoulé n'est pas comme ces bouts de film tournés à reculons où

---

* Intelligence, inter-legere: lire entre les mots.

les hommes se remettent à table au lieu d'en sortir —, il faudrait un dieu pour ressusciter la fête. Mais, à lire seulement les menus parmi les décombres, on *croira* comprendre; on pensera revivre le révolu, en relisant l'imaginaire cortège des plats successifs, des cérémonies et discours dont seuls les convives enivrés pouvaient goûter le rare mélange.

L'histoire est un tombeau vide. Non que les hommes n'aient pas existé, mais précisément: ils *ont existé* et l'histoire ne recueille que des dépouilles de chrysalides. L'histoire de l'historien, ce n'est pas *les hommes* ayant vécu, mais ce qu'on en dit, ce qu'on en croit savoir: la percée de la banquise. Oui, l'histoire est tombeau vide. À regarder ce coquillage mangé de nuit, on ne peut conclure d'une résurrection, d'une fuite, d'un vol. On ne peut enregistrer que la présence d'un tombeau vide. La foi créatrice peut seule comprendre le sens caché de l'événement et retrouver de la vie. Mais l'histoire n'a pas cette foi, c'est-à-dire, qu'il n'est pas en son pouvoir de donner vie aux momies, mais simplement de les *conserver,* de les étiqueter pour le musée, et de tisser autour d'elles une buée de légendes.

Les historiens, pas plus que les critiques, ne sont des lecteurs neutres: ils sont «montés», apportant le non-rationnel d'un parti-pris souvent inavoué. (Ils seraient «objectifs» dans la mesure où ils exposeraient leurs ressorts, leur attitude fondamentale, leur stock originel de préjugés!) Autant, sinon plus, que tous les autres poissons que nous sommes, ils voient toutes choses de l'intérieur de l'aquarium, alors qu'ils prétendent être des témoins émancipés, «objectifs». Et il y a une infinité de façon pour l'homme d'être enfermé, limité, biaisé.

Le sensationnel ou l'insolite furent toujours une façon assurée de passer à l'histoire. Mais que fait-on de ce qui ne passe pas et qui est pourtant arrivé? Pour hier comme pour aujourd'hui, le connu n'est pas le seul vécu. Impossible de retrouver le vécu du passé, d'aller à la recherche du temps perdu — on ne sait jamais si ce que nous y voyons, c'est ce qui s'y trouvait, si le coquillage du passé est fenêtre ou miroir. Comment savoir le sens des événements d'autrefois, tels que la Conquête du Canada, la Révolution française, les causes de la Guerre de 14, la responsabilité de l'Allemagne hitlérienne, les responsabilités de l'incident du Golfe de Tonkin, etc. L'Histoire avec grand H n'a pas le même sens pour Pirenne, Toynbee, Voigland; les anglophones et francophones ne donnent pas le même sens à la conquête du Canada; l'histoire de l'art est vue autrement par Malraux, Kenneth Clark, Mikel Dufrenne; même le sens de l'homme diffère selon les psychologies — alors qu'il s'agit toujours du même objet sous les yeux de contemporains; les philosophes ne s'entendent sur presque rien sauf sur le fait que l'homme est conscient; le monde théologique est régionné diversement selon Barth, Bultmann, Rahner, Kung, Bonhoeffer; même les physiciens ne s'entendent pas sur la composition de l'univers, sur sa dimension, son âge, sa courbure (Einstein lui-même est contesté par Dicke et Brans), la nature de l'électricité, de la lumière, de la matière; il y a plusieurs lectures de Racine, de Mallarmé, Balzac, Shakespeare, Joyce; des divergences marquantes dans la paléontologie, la biologie, la théorie évolutionniste; on a des vues opposées quant à la politique étrangère, la stratégie militaire, l'art de gouverner, l'éducation des enfants, le sens de l'université, le sens de la vie, la valeur de l'homme, les lois sur la drogue, les façons de planifier une ville.

Ce fait que l'homme ne puisse jamais avoir le fin mot de l'histoire ou de toute chose cheminante, ne l'empêche pourtant pas de prendre position, il y est même tenu, comme nous l'avons déjà vu. Les plus sages des hommes — et ils sont rares — peuvent remettre en question cette prise de position, la réviser plus tard dans la vie, peut-être même la renverser complètement. Mais la grande majorité conservent, entretiennent, maintiennent, défendent admirablement ou mesquinement leur option et sont prêts à accepter d'un autre la confession qu'il est biaisé, alors qu'ils refusent de voir leur propre option comme un parti-pris.

L'homme croit promener son regard sur toutes choses, mais c'est son regard qui le promène. Il ne lui est jamais possible de connaître tel qu'il est le réel, puisqu'il n'est pas de réel qui soit *tel-qu'il-est,* mais toujours tel qu'il est perçu, mesuré, compris par un individu. Il est impossible de sortir de l'aquarium pour le voir. Un poisson n'est vivant que dans l'eau. Son monde et lui-même se décomposent dès qu'il en sort.

Les homme se penchent sur leur passé, mais ils n'apprennent pourtant pas les leçons de l'histoire, justement parce que les conjonctures ne sont jamais les mêmes et que celles-ci ne sont pas un détail, mais font partie de la chose même. Nietzsche disait qu'il n'y a pas de faits, seulement des interprétations. Je dirais plutôt qu'il n'est pas de fait sans interprétation, le fait n'existe que pour un témoin qui a un point de vue, qui est un point de vue. Le fait soutient le point de vue, mais le point de vue contient le fait; un fait est ce qui permet d'avoir un point de vue, alors qu'un point de vue, c'est ce qui permet (de voir) un fait.

Les conjonctures n'étant jamais les mêmes à travers les époques, chacun doit décider sans recette: on ne *reconnaît* pas dans le passé le pattern du présent. On se plaint que l'histoire se répète. Mais elle ne peut que se répéter, si l'on entend par là une répétition incessante des faiblesses de l'homme, car en cela, l'homme ne sort pas de ses limites. Les histoires nationales ne sont que des variantes d'une carte de faiblesses humaines avec des saveurs fort variées.

Chaque homme emporte avec lui son sens et son monde, son point de départ, son projet, sa direction, le sens du trajet et de la somme de ses difficultés et réussites. En voyant un autre mourir je me disais naguère: le monde continuera bien sans lui, comme avant. Maintenant je me dis: ce que j'appellerais «le monde» continuera peut-être, mais c'est «le monde» vu par moi, un autre. J'oubliais que c'était moi, le survivant, qui faisait durer «le monde», c'est-à-dire, le mien. Mais le monde vu par cet homme qui mourait, jamais plus n'existerait sur cette terre, c'était une version évanouie.

Seul celui qui aurait suivi de l'intérieur un parcours humain connaîtrait l'homme, qui est parcours unique, piste perdue, trajectoire se brûlant à mesure. L'homme, comme un vaisseau spatial, se consume dans sa fuite. Il n'est pas connaissable dans son entier; ce qu'il livre de lui-même dans son journal intime a l'odeur de fleur fanée, alors que l'on pourrait un instant croire reconnaître un parfum volatile comme l'éther. On entend l'homme *dire*: «Je pleure», mais on ne l'entend pas pleurer; s'il se livre, c'est à son insu. Une vie se consume, elle ne s'écrit pas, ne se transcrit pas, ne se filme pas. Ici s'applique par excellence le slogan de McLuhan (qui ne fit que nommer une réalité qui a toujours existé, ne l'oublions pas), le médium est bien le message: il faut être le vivant pour comprendre. L'homme est l'être phénoménologique par excellence: il ne se comprend que de son centre, c'est-à-dire de l'intérieur; il faut être tel oeil pour avoir tel champ de vision: le regard, c'est le regardé; la vue, c'est le vu.

L'historien est «matérialiste» dans la mesure où il agit comme le behavioriste, qui croit comprendre parce qu'il compile des comportements, aligne des «faits». Ce sont les *expériences* qui ne passent pas à l'histoire et que l'historien ne peut retrouver. Ce qu'il enregistre, c'est le «fait» qu'un jour un dénommé Abraham gravit avec son fils le mont Moriah et en descendit de la même façon peu après. Ce qu'Abraham y fit et qui donne sens à toute sa vie, non seulement à ce voyage — cela échappe au témoin. Il n'est même pas certain qu'un fait aussi banal puisse l'intéresser.

À quel moment et de quelle façon un homme comprend le sens de sa vie et cède à l'accueil du mystère, se *rend,* cela n'est pas enregistré dans l'histoire. Égrener les séries d'événements, les enchaîner, ne fournit qu'un niveau de réalité — celle-ci n'est pas repérable dans son ensemble et il ne peut qu'y avoir histoire romancée, affabulation.

Ce n'est pas tout de dire que l'histoire comme étude est une déflexion, un miroir déformant. Elle est aussi une suite d'erreurs dont l'homme ne profite guère. Elle n'est pas seulement une série de faits mais de «faits accomplis». Peut-être est-ce justement parce que l'histoire réelle n'est jamais vraiment connue, mais regardée de l'extérieur comme une procession, qu'elle ne peut être sérieusement intégrée au présent. L'Autre, lorsqu'il est trop étrange, n'est pas assimilé par le Même.

Or, le passé, qui est inconnu et inassimilé, est aussi irréversible et irrecommençable. Ce qui n'est pas arrivé n'est plus possible. Il faudra maintenant recourir au détour. Au *malgré.* L'Histoire est une suite infinie de détours qui se recroisent et tissent un entrelacs de correctifs. Chaque homme, chaque nation apprend trop tard les erreurs commises. L'Histoire est l'histoire des occasions manquées par gaucherie, reprises au détour du chemin. L'Histoire est repentir continuel. Les problèmes actuels sont en fait des non-solutions passées, c'est-à-dire qu'ils sont dus à des solutions que l'on n'a pas trouvées au bon moment. S'il est vrai qu'il y aura toujours des problèmes, c'est qu'on ne peut tout prévoir et l'on répare le passé plutôt que parer l'avenir. L'homme est poussé au révisionnisme parce qu'il n'est pas prévisionniste. Peu d'hommes sont en effet visionnaires, certes, mais les autres se gardent bien de les voir. Les hommes n'écoutent ni les voix du passé ni les voix des prophètes; ils n'entendent que le cri du journaliste, le flash présent.

L'homme ne se corrige qu'après reconnaissance de ses erreurs et limites. Ainsi, il est *a priori* impossible que ce qui arrive soit toujours la meilleure chose possible, mais c'est peut-être la meilleure chose qui puisse arriver *malgré* ce qui n'est pas arrivé (ou malgré ce qui est arrivé). Car ce qui n'est pas arrivé n'est plus possible: ce qui est possible, c'est de faire autrement. Mais cela ne veut pas dire que c'est moins bien: ce peut être l'occasion d'un plus grand saut. L'histoire consiste à remplacer une situation hypothétique — ce qui aurait pu se produire, si — par un pis-aller réel. Le seul avantage du dernier, c'est qu'il est réel. Mais le réel, c'est la seule chose qui existe, c'est tout ce qui existe.

Parmi les groupements qui se sont le plus appuyés sur leur passé et qui en ont le moins tiré de leçons se détache l'Église de Rome. Le missionnaire romain a converti les Africains à l'européanisme plutôt qu'à l'Évangile — et cela après les expériences de Ricci, Britto et De Nobili. On s'est entêté à croire que pour être chrétien, il fallait être civilisé, c'est-à-dire, européen — alors que Jésus ne mettait qu'une condition: croire et suivre. Plus tard, on a voulu se montrer compréhensif et «adapté» — on avait, croyait-on, appris les leçons de l'histoire —, en fondant un clergé indigène; mais on a produit en Afrique un clergé si romanisé et clérical, qu'il compense bien la passation du pouvoir ecclésiastique aux mains autochtones et prend avec revanche la relève d'une Curie périmée. On a colonialisé le clergé qui est maintenant le bon sujet, le «cueilleur de coton» du Vatican. On n'a pas appris les leçons de Paul de Tarse, qui malgré Pierre de Rome, distingua coutume (circoncision) et foi. L'Église qui aurait dû être tournée vers l'avenir — une Église de prophètes et de prévisionnistes —, s'est tôt mise à protéger l'acquis, le passé, l'assuré. Aussi, cessa-t-elle de croître en créativité, souplesse et ouverture. Car la croissance numérique ne fit qu'alourdir le corps et le rendre plus que jamais sédentaire. Les lois d'inertie et de gravité, faut-il le dire, s'appliquent aussi aux Églises. L'Église de Rome, comme toutes les sociétés du monde, montre que les hommes n'apprennent guère du passé; et quand ils ont appris la leçon, ils l'appliquent à la situation présente qui, elle, requiert déjà une nouvelle solution.

L'homme passe de l'esprit à la lettre. Il y tombe spontanément, il se fait prendre par les institutions, non par la source qui les a motivées; il est rapidement fasciné par l'instantané et facilement engourdi par la répétition. Il a grand-peine à se maintenir dans l'esprit d'une aventure (qui est «prompt» alors que «la chair est faible»), il tend à refaire le passé plutôt qu'à inventer le présent. Il tend à retourner au chaud, à la sécurité de la lettre, à l'habitude, là où le monde et lui ne font qu'un, là où l'homme est entraîné par le corps sans qu'il ait besoin d'intervenir. La connaissance du passé ne semble pas aider l'homme à sortir de ses habitudes de façon imaginative, c'est-à-dire, à sortir de son passé. Il tend inconsciemment à refaire constamment du passé et à s'y maintenir. À se voir comme un être achevé et à s'y établir solidement.

CHAPITRE TROISIÈME:

L'HOMME INACHEVÉ

L'homme est un être ambigu: il naît à la fois séparé du monde qu'il appelle avidement, coupé du monde, mais inséparable de celui-ci, à la fois hostile et sympathique, méfiant et croyeur. Mais c'est divisé du monde qu'il nous apparaît tout d'abord.

Pour naître, l'enfant doit être divisé d'avec la mère. L'homme entre donc en scène coupé du corps maternel dont il continue de dépendre, suspendu à la nourriture dont il naît affamé, privé de l'air que ses poumons réclament sur-le-champ. Voici un être séparé de son complément qu'il appelle d'un grand cri: l'univers, la totalité des choses et des êtres. Il naît en état de privation, insatisfait, incomplet, comme ces machineries munies de fils et qui attendent d'être abouchées à une source d'énergie pour se mettre à vibrer.

L'homme naît «à relier», «à rallier», «en creux»: ses poumons existent en fonction de l'oxygène, son oeil, son oreille sont des entonnoirs à sons et lumières, sa bouche est un gouffre à remplir, sa main, un piège guettant sa prise. L'homme n'est entier qu'affixé au monde, qui est sa nourriture autant que son extension, son aura, son second placenta; l'homme naît parcellaire et devient entier en retissant lui-même des fils avec l'univers. Cette tapisserie s'appellera son monde, sa vision ou sa version du monde. Mais la maille du départ paraît toujours.

La mère tâchera de réparer le premier affrontement avec une terre d'effroi; elle essayera de combler l'enfant, facilitera sa ré-intégration, sa «rentrée», si bien qu'il croira vraiment que l'univers et lui sont une seule chose: la mère l'induit en croyance. L'enfant est croyeur par nécessité; parce qu'il est dans son intérêt de se trouver bien avec l'univers, qui est la somme des Autres et lui-Même. Dès que l'enfant pleure, la mère lui dit: «Ce n'est rien, va; tout est bien». Elle le rassure contre la moindre déchirure. Le tissu semble sans couture. Mais les failles sommeillent. Et petit à petit, l'enfant, en sortant du monde de la mère pour explorer les milieux de l'école, du jeu, du travail, découvrira le mensonge, la méfiance, l'hostilité, la méchanceté. Si la plupart des enfants retrouvent un certain équilibre, une certaine médiane, certains par contre n'en guérissent jamais, et d'autres enfin, les schizophrènes, vivent en scission permanente.

L'homme naît déchiré, incomplet, mais c'est autant son privilège que son malheur. Cet état lui permet les options, les choix. Étant inachevé, par avance non-intégré, il est *sommé de choisir.* Et parce que l'univers (à son image) lui apparaît susceptible de mainte interprétation, il peut justement opter pour une vision personnelle. L'ambivalence du monde reflète celle de l'homme et s'y ajuste. L'une recouvre si bien l'autre, qu'il n'est pas possible de savoir laquelle des deux est le produit de l'autre. L'univers n'est susceptible de plusieurs interprétations que parce que l'homme est ambivalent, c'est-à-dire, qu'il peut justifier une vision moniste ou pluraliste, révolutionnaire ou pacifiste, pessimiste ou optimiste, ordonnée ou spontanée, créatrice ou intégriste. L'homme totalement déterminé ne verrait qu'une façon de concevoir le monde (comme les animaux — ce pourquoi ils sont adaptés à un seul milieu). Or c'est toujours cette vision (qui est affective et non rationnelle) que le monde justifiera. Aussi, l'homme est-il porté à croire son monde, comme nous l'avons vu plus haut.

L'homme est sommé de choisir parce qu'il n'est pas achevé, il reste toujours en lui de l'indéterminé et c'est là que s'exerce sa créativité. Mais cet appel à l'option n'est pas un pari pascalien, où d'un poste de spectateur on choisit le parti éternel le plus raisonnable à prendre; car dans la vie réelle, avant que la raison ne paraisse en scène, le corps a déjà pris parti. Et c'est là quelque chose d'encore plus originel et fondamental que le «coeur», qui, lui, aura ses raisons secrètes.

Tout homme naît partiel puisqu'il naît partial. Il connaîtrait toutes langues qu'il ne serait jamais entier, mais toujours partiel et partial.

Tout pourrait n'être en fait qu'un problème de communication. Si les hommes communiquaient parfaitement, il n'y aurait sans doute pas de guerre, de malentendu, de division, mais dialogue, partage, empathie parfaite. Cependant, dût-on parvenir à imposer une seule langue, les hommes réussiraient à y entendre des sens particuliers, des accents locaux, ils parviendraient à être partiels. Cette conséquence est encore plus inévitable quand il y a plusieurs centaines de langues en usage. La diversité de celles-ci témoigne à la fois de la division des hommes et de leur tension vers l'unité; de leur besoin de s'unir pour s'achever. Chacun confesse qu'il n'est qu'un mot appelant les autres à former une phrase. Une seule langue n'exprimerait d'ailleurs pas la véritable unité des hommes, car ils sont aussi séparés qu'unis par leurs désirs et entreprises. Il n'est pas ici-bas une unité de paix et de congé, de paradis, comme le suggérerait l'uniformisation linguistique. La paix et l'unité pour l'homme sont un au-delà, un «malgré» — malgré la division et l'incommunication.

L'HOMME DIVISÉ

L'homme ne naît pas seulement divisé d'avec le monde; il est divisé en lui-même. Le dualisme ne fut donc pas une invention de Descartes; il existe dans l'homme divisé, insatisfait et querelleur; dans l'homme, cet unisexué appelant toujours son complément. Tout au plus le philosophe de naguère durcit-il l'implicite scission entre conscience de la pensée et conscience de l'être, entre psyché et espace, accordant priorité à la première, au point d'y réduire l'homme et de figer sa fluidité dans une Méthode sans mystère.

Ce n'est pas l'homme qui invente la division. Elle existe dans l'homme qui invente. Elle existe, selon les pluralistes, mais pour ceux qui ne veulent pas la reconnaître, ou qui la considèrent comme contre nature, il faut inventer un monisme réconfortant. C'est parce que dans l'homme lui-même il y a coupure entre raison et instinct, ordre et spontanéité, que l'union et l'équilibre sont toujours *à faire* — et c'est là, comme nous l'avons vu, le seul progrès réel dans chaque homme. Et si cette fusion était naturelle à l'homme, il n'y aurait pas ce mouvement de balance, l'équilibre ne serait pas le résultat d'un effort. On ne parlerait même pas de ce problème: il serait proprement *inconcevable*.

L'homme n'est pas seulement divisé d'avec le monde et en lui-même; il est un être situé entre deux limites: la naissance et la mort. Il n'est libre qu'à l'intérieur de ces bornes. Entre les deux, le voyage est inévitable, mais tel cours ne l'est point. L'homme est sommé de choisir. Même si le progrès est croissant, il faut toujours maintenir les deux bouts de la chaîne, et dès qu'on perd cela de vue, on brise la continuité entre l'homme et le monde. L'homme ne constitue pas un tout seulement avec son monde (fusion psycho-logique et psycho-somatique), il forme unité avec la nature (relation anthropo-physique): il est végétal-minéral-animal, et s'il l'oublie, c'est aux dépens de ce qui est en lui spécifiquement humain.

Aussi, cet être extrêmement fragile doit-il toujours se maintenir à l'intérieur de certaines limites — de même que l'écologie naturelle ne peut être maintenue si on franchit les limites, par des excès de déchet, de gaspillage, d'empoisonnement.

Les limites de l'homme, sa naissance et sa mort, trempent dans le mystère. C'est du point de départ que lui vient la conscience d'un programme de possibilités, d'un appareil conditionné; et de la mort, lui viennent la conscience des limites et des possibilités et le besoin de choisir, de planifier, d'être fidèle, enfin, de se dépasser. Ainsi, l'essentiel de l'homme prend source dans le mystère, dans la région non-rationnelle. Ce qui limite l'homme ne s'explique pas par la raison: c'est un simple donné. La raison n'a pas de prise sur la naissance, comme elle n'en a guère sur la mort; l'au-delà pour l'homme, c'est ce qui n'est pas *compris* par ses limites, ce qu'il ne peut comprendre parce qu'il ne peut y vivre, et qui ne l'éclaire qu'en contre-jour. L'homme ne se voit qu'indirectement réfléchi dans le miroir de la naissance et de la mort, les deux écrans qu'il ne regarde jamais en face. L'homme ne se voit jamais de face (le miroir est *renversement,* non réplique) — encore moins de dos. Son éclairage doit lui venir de celui qui le regarde, de l'Autre, d'Ailleurs.

L'homme est entouré de mystère «comme d'un sommeil», disait le grand Shakespeare. Son mélange d'hérédité et d'habitude acquise demeure mystérieux. C'est son corps qui se rappelle (tout ce qu'il reçoit de la mère), c'est aussi son corps qui préfigure et appelle (la mort qui l'attend). Ballotté entre mère et mort, l'homme cherche le sens de son voyage, et s'il est tenté d'y voir un songe ou de fuir, l'imminence de la limite terminale le réveille durement. L'homme naît en sommeil mais il meurt éveillé. Il est pressé d'être responsable.

L'essentiel de la vie est basé sur l'implicite, qui est la région du mystère, de la motivation, du désir, du «sens», de l'intuition, de la croyance. Le fond de la banquise est implicite. L'homme tire ses *pouvoirs* du non-rationnel, du non-pensé, du monde croyeur. Mais la crête-raison ne veut pas l'admettre ni se soumettre à ces «bas-fonds». Car si la division en l'homme existe dès le départ, elle est voilée par la crédulité, la confiance enfantine, et ne se manifeste tout à fait qu'avec l'apparition de la raison. C'est elle le grand scalpel, l'analyste, l'incrédule. C'est elle qui consomme la division que seule la foi pourrait un jour combler.

LE RATIONNEL*

La raison est l'instrument de la science et de la technologie, c'est-à-dire de l'extension physique et puissantielle de l'homme. Toutefois, même dans la science, la raison profite de l'intuition de l'esprit, de la curiosité et de la créativité de l'homme — et ces dons baignent dans le mystère du non-pensé, du non-rationnel. En fait, la raison chez l'homme, de même que les sciences en regard de la connaissance en général, est une spécialisation de l'esprit, une réduction de l'univers à un seul secteur, à une tranche, à un paramètre. En ce qu'elle est spécialisation de l'esprit, la faculté logique de l'homme ne peut saisir le réel dans son ensemble. L'être ne peut être approché que par l'être, et les êtres de raison — tels que les chiffres réels et rationnels, les enchaînements logiques, les preuves et les causes, les systèmes et les lois — par la raison seulement.

En dépit de toute critique adressée à la science, il faut lui conserver sa place unique et nécessaire. Dans ce qu'elles se proposent d'accomplir, les sciences sont irremplaçables. Jamais la foi, les «sciences» humaines, les arts, la spontanéité pure ou l'intuition ne pourront remplacer les sciences. Si elles ne doivent pas soumettre l'homme à leurs critères, l'homme sans elles serait encore parmi les Goths, et ses pouvoirs non-logiques l'enfermeraient dans la magie et l'alchimie.

---

* Le rationnel, tel qu'entendu ici, pourrait aussi s'appeler le logique; il est à l'oeuvre dès que la fonction logique, avec ses enchaînements nécessaires, est mise en branle; son modèle et son activité de pointe apparaissent dans la logique dite de l'analyse vérificationnelle — «linguistic analysis» (A.J. Ayer, Th. McPherson, A. MacIntyre, J.L. Mackie, J.N. Findlay, Hare et Flew).

Si ce n'est point par la science que l'homme s'achève, se dirige, et donne sens à sa destinée, la science par contre est le frein qui empêche l'homme de retomber dans la naïveté ou l'insouciance. La raison ne fournit pas à l'homme sa voie, mais elle peut lui éviter la déviation. Quoi qu'il en soit, l'homme que nous connaissons aujourd'hui ne peut exister sans la science. Je ne dis pas qu'il est pour cette raison le meilleur homme de l'histoire, ni le pire, mais je dis que c'est ainsi qu'il nous apparaît aujourd'hui. Si l'on veut retourner à l'époque d'Attila, et tout balayer d'un grand désir de recommencer en neuf, il ne faut pas oublier que ce n'est plus en innocent que l'on poserait un tel geste. La science oblige à pousser plus loin, à se poser plus de questions ou de meilleures. Il n'est pas sûr qu'elle les résolve, non plus. Elle se propose seulement d'empêcher que l'esprit cesse de chercher; elle renseigne le veilleur et le tient peut-être éveillé, mais elle ne lui montre point la route.

La science ne prétend pas étudier tout l'homme, elle ne braque sa lentille que sur du particulier, parfois du microscopique. Son univers est volontairement très limité, son sondage toujours à replacer dans un contexte d'ensemble, une écologie plus englobante. La science réduit, elle n'élargit point, elle n'est pas compréhensive, mais elle ne prétend pas l'être; elle morcelle, elle *empêche les confusions*. La science est une poignée d'antennes-foreuses hautement affinées. Vouloir qu'elle dise tout de l'homme et lui donne toutes les réponses importantes, c'est la méconnaître; la rejeter parce qu'elle ne remplace pas la foi ou la responsabilité de l'homme — celle-ci en est au contraire plus vive —, c'est également méconnaître le rôle de la science, qui est bienfaisante du fait qu'elle est limitée. Et c'est du même coup méconnaître combien sans elle l'homme est incomplet.

Heureusement que l'homme ne puisse se fier à la science pour diriger le vaisseau terrestre, car alors, il n'y aurait plus d'aventure ni de créativité, mais une programmation en tous points déterministe! La limite de la science permet à l'homme d'être homme; même, elle l'y oblige plus que jamais. La science, comme la seconde «étape» dans la croissance d'un enfant — celle que nous appellerons non-crédulité — est nécessaire pour que naisse l'homme complet, qui entre dans l'attitude de la foi, en dépassant la crédulité et l'incrédulité. Si l'homme croit aujourd'hui, c'est avec la science autant que malgré elle; ce ne peut être sans elle, assurément. Mais parce que certains se déclarent non-scientifiques ou ennemis de la science, ils croient que cela leur donne la foi ou une humanité plus «profonde». En réalité, l'homme d'aujourd'hui qui n'a aucun esprit scientifique, n'a pas une foi authentique, parce qu'il n'est même pas un homme vivant dans le concret, dans le présent. C'est un rêveur, un mythique: un crédule, en un mot.

On n'atteint à l'objectivité réelle que là où le non-rationnel peut être tu ou négligé, par exemple, dans les mathématiques et les sciences physiques. Plus il y a une marge d'impondérable, plus une science est nourrie de non-rationnel, de jugements de valeur. De la physique à la mystique, le non-rationnel intervient par degrés croissants. Dans les sciences pures, il y a peu d'impondérable. Dans les sciences biologiques, il y en a beaucoup plus. Il s'agira, par exemple, de savoir comment un patient va réagir à un sérum, à un microbe, à un antibiotique. Pourquoi le stress produira-t-il chez l'un un ulcère rénal, chez l'autre, un ulcère d'estomac, une maladie du coeur, une forme d'asthme, une congestion cérébrale? Ce n'est pas le physique seul qui joue ici, mais le psychique. Dans la mesure où le non-rationnel intervient dans la connaissance, celle-ci est moins scientifique — plus «humaine». Ainsi, la physique est plus «objective» que les sciences humaines, et parmi ces dernières, la biologie l'est plus que la psychologie; celle-ci, plus que la philosophie, la théologie, la mystique.

En effet, dans les sciences humaines, notamment en psychologie, en philosophie et en particulier en théologie, comme d'ailleurs en art, le non-rationnel fait partie intégrante de l'éclairage utilisé — il est à la fois message autant que médium, puisqu'il s'agit de réagir avec tout l'être et non par la pointe de la logique. Mais même dans les mathématiques et les sciences pures, il y entre du non-rationnel, dans la mesure où l'homme *cherche* et se montre créateur.* Dans ces sciences où l'on mesure, prouve, analyse, confirme par l'expérimentation, c'est le comportement, non l'expérience intérieure, qu'il importe d'observer, c'est-à-dire le monde des phénomènes. Pour cela, la raison seule peut à la rigueur suffire; mais elle ne peut donner un son humain à sa voix qu'en replaçant son objet scientifique dans le domaine général de la connaissance. La logique ne saisit jamais

* L'homme de science ne reçoit d'ailleurs pas sa motivation du domaine logique: il est mystérieusement poussé par le goût de la recherche, c'est pour lui une véritable mystique. Il sera le premier à reconnaître que sa passion scientifique prend source dans l'inexplicable appel qui l'atteint au-delà (ou en-deçà) de la raison. (Voir: «On Being a Scientist», *The Atlantic*, sept. 1970, par Mitchell Wilson).

le sens, la direction des êtres: elle n'est pas *au courant,* mais demeure sur la rive; elle ne voit le bateau qu'arrêté. L'existence d'une chose ne peut dépendre d'une preuve. Non que les choses n'existent pas ou que la preuve n'atteindrait que des irréalités; mais plutôt, les choses *pré-existent* aux preuves et les preuves ne les font pas exister.

Ainsi, par exemple, au regard de la logique, rien n'est plus faible que l'existence de l'esprit, car elle ne se prouve pas. Mais du point de vue de l'existentiel, c'est-à-dire, du non-logique, rien n'est plus fortement fondé que l'esprit. En effet, si l'esprit doit exister comme un être vivant, il devra faire partie de ce qui ne se prouve pas. De même pour Dieu, qui est du côté de ce qui ne se prouve pas. Car ce qui se prouve est toujours plus réduit que l'esprit, qui l'embrasse, le *comprend.* Le prouvé ne requiert jamais tout l'esprit, mais la logique seule, la part la plus mécanique, la moins créatrice de l'esprit. De même, la vie, l'amour, l'homme, la beauté, ne se prouvent pas, parce que, étant des valeurs fondamentales et fondatrices, elles sont plus grandes qu'une preuve. L'homme les rencontre au-delà de sa raison, où son être même prend source. Ainsi, on ne pourrait prouver l'esprit, puisque la preuve est une fabrication de l'esprit, un jugement sur une relation entre des êtres présupposés. On voit alors l'absurdité de vouloir prouver l'existence de Dieu, puisque, par définition, il ne serait qu'une fabrication, un modelage de l'esprit. Tel est le Dieu des philosophes; et aucun homme ne peut le rencontrer ni le connaître. Il n'a ni visage ni nom, c'est un être de raison. Aussi la raison défend-elle son bien.

Mais, bien loin d'être prouvé par la logique, c'est le Tout-Vivant qui «prouve» l'existence de l'esprit, en ce sens qu'il en fournit le fondement (comme les forces pré-rationnelles fondent l'homme); l'entendement est ici une lumière qui éclot en l'homme sans que celui-ci y soit pour quelque chose; c'est en cet instant d'illumination même que simultanément son existence à lui et celle du Tout-Vivant apparaissent, un peu comme dans ces éclairs de chaude nuit d'été, un long déchirement ajoure un blanc paysage, fêtant du même coup la faille fulgurante.

Non pas «Je pense, donc je suis», puisque l'être et sa conscience précèdent et excluent toute preuve, mais plutôt: «Dès qu'apparaît *je suis,* je pense», ou «Il faut penser pour dire: je suis». Il ne fallait pas indécemment faire pénétrer la logique dans les replis de l'être, là où trempe l'intuition non-rationnelle, mais la tourner vers des régions plus restreintes, en partant de l'être comme d'un donné que la raison n'est pas habilitée à prouver. Comme l'existence de l'être n'est pas fondée sur la logique ou par celle-ci, ce n'est pas non plus cette dernière qui la saisit. L'existence n'est expliquée ni par la fonction logique ni par le hasard: la seule saisie est dans l'émerveillement, la reconnaissance et le silence. L'homme ne fait qu'attester la bonté et l'existence des choses: «Voilà qui est bon!» Il *reconnaît* que tout cela le précède et ne vient point de lui, ni du hasard, ni d'une génération spontanée.

En effet, il ne faut pas sans grande prudence affirmer que le monde existe par un hasard. Précisons notre position au moyen de deux exemples. Tout d'abord, un ensemble de mots: «Cinq marquise à sortit la heures». La différence entre ce groupe de mots et «La marquise sortit à cinq heures» n'est pas affaire de hasard. Ce n'est pas par hasard qu'il y a sens dans le second et non dans le premier, mais précisément parce qu'il n'y a plus de hasard. Si l'on objecte: «Qu'il y ait sens, c'est pur hasard», je dis: «Alors le mot *sens* n'a plus de sens, et donc aussi le mot hasard — et parlons donc d'autre chose, ou plutôt ne parlons plus.» Et si l'on revient à la charge: «Le sens est pure invention humaine et n'existe pas *dans* le monde des choses» je rétorque ainsi: «D'accord: justement, ce ne peut être qu'intervention humaine, puisque personne sur terre sauf l'homme n'a idée d'un sens, et du même coup, de ce qu'est un hasard.»

Second exemple. Si je dis: «C'est par hasard que je suis né, que je suis Français, que nous avons vécu à Paris — j'aurais pu être tout autre», c'est fausser le sens du mot «je». Le je n'existe pas avant d'être né tel — français, parisien, de tels parents, donc de telle époque — le je est fruit de conditionnements, et supposer qu'il puisse être autre, c'est imaginer une autre personne existant ailleurs et en d'autres temps, ce qui est fort possible. Mais alors on ne parle plus de *je.* Je ne puis être autre que je ne suis — sans être *un autre.* Ce n'est donc pas par hasard que je suis tel — *a posteriori;* avant le fait — *a priori* — un grand nombre de *je* sont possibles, puisque inexistants, et on peut appeler hasard cette indétermination.

Dire que le monde est le jeu du hasard, c'est renoncer à tout sens — même à celui de dire: c'est un non-sens —, puisque le sens se définit précisément par l'inverse du hasard. Si l'on veut dire que le monde n'a pas de sens, cette formule veut dire que le monde est absurde, ce qui est la reconnaissance d'un désordre (par rapport à un ordre, évidemment): c'est l'injure faite à la raison, au bon *sens*. Mais ce n'est déjà plus dire la même chose. Si l'on affirme par ailleurs que le monde tel qu'il est avait, selon les probabilités mathématiques, une chance sur une infinité d'exister, c'est encore dire autre chose que: «Le monde est fruit du hasard». C'est affirmer en effet: «On ne voit pas pourquoi tel être, tel monde, ou même la vie, soient apparus.» Cela peut être une attitude de simple admiration autant que d'esprit scientifique. C'est reconnaître un sens dépassant le domaine du rationnel, c'est confesser un sur-sens plutôt qu'un non-sens: un sens non réductible à la raison.

Ce n'est pas un hasard que la composition et la mécanique de l'univers soient compréhensibles à l'esprit humain, qu'il ait compatibilité entre un cerveau et les lois physiques. Mais qu'il y ait certains faits dus au hasard — tels la composition du génotype, qui unit «au hasard» entre 10 000 et 100 000 gènes venus des parents — cela ne fait que confirmer une harmonie des ensembles (la qualité de la «sélection naturelle», la variété des êtres possibles) qui englobe généreusement ces phénomènes. Le dessein de la vie est assez riche d'harmoniques pour inclure et même nécessiter un certain *jeu fortuit* — que nous «expliquerons» peut-être un jour.

Si le lieu de la plus grande complexité connue — le cerveau humain — est le produit du hasard, je ne vois pas comment l'esprit humain qui y siège puisse jamais *se comprendre* ou comprendre quoi que ce soit, c'est-à-dire être un lieu de coordination. La complexité organique va à l'encontre de tout hasard: mille accidents ne font pas un seul dessein; mille hasards ne font pas un seul brin de *sens*.

Il est curieux que l'homme cherche toujours le pourquoi des choses, qu'il cherche à les clarifier, à raisonner sur les causes, alors que le meilleur de sa vie trempe dans une obscure région qui échappe à la connaissance rationnelle. S'il cherchait le sens de la vie ou des choses ailleurs que dans le domaine rationnel, dans une connaissance plutôt poétique, dans une intuition, une empathie, une confiance, il trouverait alors sans doute la profonde raison des choses: il les saisirait du côté de leur secrète intention, sans pouvoir toutefois les définir.

Car il n'y a pas de *raison* pour que les choses soient telles: elles ne suivent pas un plan logique. La raison peut au plus atteindre au *comment,* au processus, au mode d'interdépendance reliant divers êtres, mais non au pourquoi. Décrire le lien entre l'ampoule et la pile électrique, c'est parler du comment, non du pourquoi. Le mystère du phénomène électrique demeure intact. De même, c'est un abus de langage de dire que l'homme par ses recherches génétiques, a dévoilé «le secret de la vie». Il a détecté certains mécanismes et isolé certains phénomènes, certains comportements, mais il est loin (il ignore même combien) de savoir ce qu'est la vie, même la plus élémentaire, et surtout, il n'en pourra saisir la raison d'être, le sens vectoriel, la source.

La raison ne peut sauver l'homme car elle ne *comprend* pas tout l'homme. (La science non plus, en ce qu'elle croit offrir pour l'ensemble une solution ou une explication rationnelle.) C'est dans le non-rationnel que l'homme se dépasse, et si ce n'est pas du non-rationnel (pas plus que du rationnel) que lui viendrait le salut, c'est par le non-rationnel qu'il s'ouvre à la confiance, à la foi. Croire en quelque chose n'est jamais un fait de raison, bien qu'il soit souvent raisonnable de croire.

«On n'est jamais totalement un homme sans quelque folie; et aussi longtemps qu'il n'a pas brisé le fil qui le retient, l'homme n'est pas libre», proclame le sublime Zorba. Étrange, en effet, qu'il faille un peu de folie pour réaliser l'homme; pour le dépasser et le sauver dans son intégrité. Peut-être qu'il en fallait déjà pour le faire exister, et que les limites de l'homme ont toujours trempé dans le mystère du non-rationnel. Le dépassement de l'homme n'est certes pas dans sa raison. En effet, peut-être que, selon les travaux du psychiatre Laing, le fou est plus foncièrement humain que l'homme rationnel. Peut-être aussi que dans sa folie l'homme est plus proche de Dieu — d'un aspect de Dieu qui échappe à la logique humaine, qu'un homme raisonnable ne comprendra jamais et qui est sans doute le visage secret de Dieu. L'homme sain, c'est peut-être lui l'aliéné, celui qui «n'y est pas du tout», parce qu'il vit en surface, alors que l'aliéné d'asile est forcément «ailleurs», plus près des troublantes sources de l'être. On connaît le mot de Chesterton: «Un fou, c'est celui qui a tout perdu sauf la raison». Il est certain, du moins, qu'on ne peut aller vers le Tout-Vivant par la raison seule. Car ce à quoi se fie l'honnête homme, ce n'est pas ultimement sa raison — c'est sa conscience, cette mystérieuse divination.

La raison ne peut d'elle-même rassembler l'humanité — comme

elle ne peut la sauver, parce que, n'étant pas le centre, elle ne peut engager à l'héroïsme, au don de soi, à une folie, à franchir les limites. La raison seule ne peut non plus rassembler *un* homme. Il faut une force unitive qui puise plus à fond et plus loin que toutes divisions: par la raison, l'homme peut convaincre un autre de la cohérence, de la vraisemblance de son propos, mais il ne peut le convertir sans en appeler à une intuition, à une impulsion qui le rejoigne au-delà du discursif. Le discours, c'est la parole enrégimentée, l'assujettissement du monde à un régime linguistique. Mais avant la parole, il y a dans l'homme ce qui ne peut être mis en parole et qui est peut-être l'essentiel: la vision du monde, l'attitude fondamentale, la croyance en la vie, en l'univers, le désir d'achèvement, de connaissance, de vie.

L'homme est inachevé. Il est in-fini, il ne peut connaître ici-bas que le bond, la montée, le lancement — jamais l'atterrissage. Il a des désirs infinis, il n'est jamais totalement satisfait, mais toujours en quête de plus ou de plus grand, cherchant à connaître plus en profondeur, à exprimer plus parfaitement, à dire plus explicitement, à voir plus clairement. Il n'est pas fait pour être heureux sur terre — si l'on entend par là être comblé, accompli dans un repos définitif —, le «bonheur fixe» n'est pas fait pour lui, mais l'espérance, la quête, le désir, le possible rayonnant comme un phosphore dans la pierre. «Le bonheur, dit Fourastié, c'est l'engagement total de la personnalité dans une action qui la mobilise tout entière.»

L'AU-DELÀ ET LE LANGAGE

Ce n'est pas le croyant qui invente l'au-delà, ou le désir de l'ailleurs, du plus haut, du meilleur. C'est ainsi que naît l'homme, c'est sa direction, il est ainsi «monté», et son existence par les deux bouts plonge dans un mystère qui l'appelle, le suscite, l'embrase, le poursuit. Une fois commencée, une trajectoire humaine n'est jamais achevée. L'homme ne commence ni ne s'achève. Et cette histoire est reprise avec chaque homme. En cela, il demeure inchangé.

Non, ce n'est pas l'homme croyant qui invente l'au-delà, mais c'est l'au-delà (le hors-d'atteinte) qui invente l'homme et lui donne sens, autant que l'homme donne sens à l'au-delà. Ce n'est point non plus la faiblesse psychologique de l'homme qui invente l'au-delà, mais son langage, son aspiration, son sens du jeu, son art — autant de réalités qui l'expriment, qui le poursuivront toujours et accompagneront sans cesse son parcours temporel. Ce sont tous ces livres écrits comme une rumeur feuillue au-dessus de la vie; une communication idéale, au-delà de toutes les bêtises et limites terrestres. Métalangage qui est à la fois métamorphose.

Dans un roman, l'auteur n'apparaît pas; son temps réel, coupé par les repas et les repos, n'apparaît guère — c'est le tissu sans couture; n'existe que le temps d'une seule venue que constitue l'oeuvre. Et semblablement, de mon côté, lorsque je lis l'oeuvre, je suis suspendu à un temps qui n'est pas mon temps ordinaire. Que je m'arrête pour prendre repas ou repos, le texte ne cesse pour autant de se dérouler: ses arrêts sont des virgules et des points d'exclamation, ils ne connaissent pas les soupirs de nos jours ni les silences feutrés de nos nuits (ses silences sont les temps d'une mesure, et non les pauses vides d'un quotidien granulaire). Il surplombe la vie comme une nuée et c'est là que l'homme retrouve le gage d'un congé pur, d'une délivrance comble. Le livre survole la vie comme un avion. L'éternité serait-elle dans les livres?

L'impossibilité pour l'homme de connaître le sens des faits passés en eux-mêmes est due à un décalage impossible à combler entre le vécu (le passé) et le vivant (le présent). Le mensonge de l'histoire est dû à l'impossibilité d'y être dans le vrai — puisqu'on ne s'y trouve pas du tout. Mais le langage aussi est le lieu d'un échec. Un décalage se fait jour dans le présent lui-même, entre le vécu et l'exprimé — semblable à celui qui se crée entre le passé et le présent.

Certes, le sens de la phrase sur-existe à la disparition de l'écrivain ou du lecteur, comme l'empreinte lumineuse dans l'oeil après la disparition de l'éclair, ou comme la rougeur entourant la terre à la mort du couchant —, mais ce sens est impossible à fixer, il est fait d'impondérable, d'indicible; il est la part submergée de la banquise. Certes aussi, le sens survivant à la mort du sujet est signe que l'écrit, contrairement à ce qu'en dit Maurice Blanchot, prononce la sur-vie de l'homme et non sa mort, proclame que la vraie vie entoure les choses comme une buée de lueur plutôt que d'y être enclose. Mais ce sens demeure un faible reflet de la vie, il demeure toujours en-deçà du réel. Car le réel ne se trouve pas dans les mots.

Le sens est aux mots un peu comme l'âme est au corps: quand celui-ci meurt, dit Wittgenstein, le sens de l'homme ne meurt pas. Lorsqu'on dit: «John Kennedy est le meilleur homme d'État de sa génération», le sens ne meurt pas lorsque Kennedy est tué. Le sens des livres ne meurt pas avec l'auteur; et le sens d'un livre n'est pas les *lettres* de l'alphabet, mais le courant électrique qui éclaire d'un trait cette traînée de syllabes: l'insaisissable *esprit.*

Mais voilà, le sens qui survit à l'homme dans les livres est-il vraiment ce qu'ont vécu les hommes passés? Leur art était-il leur vie? Sûrement pas plus que pour les écrivains de nos jours — mais un détour mensonger pour mieux exprimer ce qui ne peut l'être. Véhicule mensonger, mauvaise traduction de la vie, impossible message. Dans le texte, la vie est laissée pour compte; l'art prend la relève, croyant rejoindre, par delà la vie, une sur-vie, un surcroît de vie.

Toute parole est commentaire du vécu. Dans telle langue donnée, la phrase organise et ordonne, alors que la vie et la réalité ne sont pas ordonnées d'une façon exclusive; la phrase *dresse* la nature, elle lui impose un corset syntaxique, interprète la vie, la *style.* Pas de phrase sans stylisation, abstraction, réduction, interprétation, c'est-à-dire, sans détour mensonger. Toute phrase est tendancieuse, comme l'a montré Michel Foucault: elle se plie à la grammaire au lieu d'épouser la réalité. Le langage, parce qu'il ne peut être, comme l'expérience, que successif et non simultané, est toujours fautif. Le voyage intérieur est impossible à extérioriser sans qu'on le dé-nature.

Le langage est mensonger: la blancheur comme telle n'existe pas; ni l'Homme, ni l'Humanité, ni le Silence; la Mode autant que le Moderne est une catégorie artificielle, une division opérée arbitrairement dans l'homme. Ainsi la Terreur de la vie actuelle, la Répression des systèmes modernes, sont des êtres fictifs. On objectera que ce sont au contraire des choses fort réelles, même trop. Mais elles le sont pour celui qui a un biais particulier, pour celui qui découpe ainsi le monde. Or, à mon tour je puis dire que les vrais terroristes sont les auteurs qui inventent la rhétorique terroriste. Peut-être que la suprême subtilité du terrorisme, c'est qu'elle se crée au moyen d'un langage terrorisant. C'est le médium qui devient alors message. (On n'a qu'à songer à ce que la télé ajoute aux actes terroristes vécus.)

Tout langage est faussaire. Car dans la mesure où elle atteint ou soulève les couches profondes, chaque parole dont on peut dire «c'est cela», pourrait être remplacée avec la même conviction par sa négation: «ce n'est pas cela». *Il y a dans chaque langue quelque chose qui n'a pas de nom.* L'homme ne peut exprimer intégralement son monde, sa vie, dans la langue — moyen qui est un système commun ne lui étant pas personnel ou exclusif. Or, il ne peut couler dans un moule impersonnel son visage unique; comme le monde et la vie sont réduits pour entrer dans le processus du langage, de même, le mot «visage» n'exprimera jamais l'unicité du mien. Si mon visage avait à se dire réellement, nul doute que la langue ne serait pas celle-ci, elle suivrait un ordre épousant l'unicité de l'homme — mais elle serait par le fait même incompréhensible à tout autre qu'à l'auteur. C'est toutefois ce que les poètes tentent de faire en imposant au langage des écarts, comme l'a démontré Jean Cohen dans *Structure du langage poétique.* Mais il y a toujours la marge de l'indicible, et si Ferdinand de Saussure voyait dans les relations entre les mots le lieu de leur signification, pour le poète encore davantage, l'essentiel c'est proprement ce qui n'est pas dit parce qu'il est impossible qu'il le soit.

Si le poème ne peut être résumé, puisqu'il est course autant que piste, il est cependant déjà une réduction de la vie, un maigre résidu dépassé par la masse feuillue de la vie: il serait phénomène plutôt qu'expérience. Le poème n'est au plus qu'un indice, qu'une signalisation, comme les feux bordant la piste d'avion. L'homme volant comprendra, s'il sait lire ou s'il a besoin de cet éclairage pour ponctuer sa nuit. Mais ce ne peut être qu'une lumière de l'instant et uniquement allusive.

Impossible de reproduire la vie dans le langage, car ce ne serait qu'une reproduction, comme ces albums de Van Gogh ou Vermeer. Impossible que le langage représente adéquatement la vie, comme l'ont cherché les Encyclopédistes rêvant de mettre l'univers par écrit, ou Mallarmé, de le représenter par le symbole d'un Livre universel.

Le langage est décalage du réel, parce que décalque de celui-ci; écrit, il l'est encore davantage. L'ordre des mots n'est pas celui de la perception ou de la vie: le non-dit est capital, l'indicible est le sens profond de *tout ce que l'on dit.* Savons-nous en quelle proportion ce qui n'est pas dit influence, motive ce qui l'est? Car un auteur écrivant une oeuvre *vit* pendant tout ce temps; ce qu'il écrit n'est pas ce qu'il vit. La vie déborde toujours la parole qui trempe en elle.

Peut-être que ce qui est appelé la lueur entourant les mots est le sens qui les relie entre eux — peut-être que c'est cela la vie réelle, qui ne peut être exprimée. On ne peut pleurer et dire au même instant: «Je pleure». Car la vie proprement ne se dit pas, elle ne dit pas ce qu'elle est. Ce sont des choix d'événements qui sont transcrits, comme les journaux qui ne relatent pas la vie mais des faits divers: seuls des pics qui affleurent (la partie visible de la banquise). C'est le royaume du spectaculaire. Mais comme la vie n'est pas un spectacle mais une intention poursuivie, une chaîne secrète reliant l'apparent — une expérience dont surnagent les phénomènes —, elle n'est pas réductible au spectacle ni atteinte par lui.

Ce n'est donc pas le spectateur de ma vie, ou de la vie, qui la comprend, mais celui qui en pressent la direction, depuis le départ jusqu'à l'arrivée, et cela *ne passe jamais à l'histoire.* Car l'histoire, avons-nous dit, ne recueille que des coquillages, elle est une embaumeuse, une empailleuse, une gardienne de musée — au plus, une archéologue dressant la nomenclature des dépouilles laissées par les guerres, les passions, les spectacles, les aventures éclatantes. Aucun historien n'a le pouvoir de faire sortir des coulisses actions et personnages réels, comme aucun poète n'a le pouvoir d'exprimer le fond de la vie, l'irreproduisable happening qu'est l'existence. Le poème demeure copie.

Les vrais historiens d'une époque sont ceux qui la vivent dans ses drames et décisions — et sans témoins —, comme par exemple, Dag Hammarskjold dans son *Journal.* Il y a plus de vie et de motif et de sens dans un tel écrit, que dans tous les rapports officiels des Nations Unies — qui passeront de fait à l'Histoire. L'historien est un fétichiste, un assoiffé d'ex-votos, peut-être même un voyeur. Ce n'est donc pas ce que Marcel Proust croyait être le moi profond qui passe dans l'oeuvre écrite, ce n'est là qu'un résidu artificiellement composé, une sélection biaisée, un comprimé, l'essentiel étant perdu. L'oeuvre de Proust, ce n'est pas l'oeuvre à la recherche de la vie, mais plutôt, la vie à la recherche de l'oeuvre, le réel à la remorque du fictif, le moi fasciné par son mirage. La vie même est intraduisible puisque de performance exclusive. La vie seule est le vrai happening et tous les autres imitent le modèle. L'art mime la vie; la vie, elle, ne joue pas, elle n'est pas performance, mais perte de soi dans une aventure qui brûle tout au passage. Les hommes continuent de se raconter l'histoire, soit la grande, soit la petite — mais même la grande n'est rien à côté de la vie. Ou encore, ils s'écriront et se diront des romances, des romans roses, noirs — ou blancs, croyant que le suc de leur vie s'y trouve livré, enfin délivré des limites du temps réel.

Si l'on peut *lire* quelque chose sans le vivre, ou simplement *parler* de ce que l'on vit, de ce qu'on a vécu, c'est qu'il y a division dans l'être entre parole et vie, entre expression et expérience. C'est là que se trouve la faiblesse du langage, mais aussi sa beauté et sa nécessité. Même celui qui se tairait n'éviterait pas pour autant le mensonge possible, l'écart entre désir et réalisation, entre principe et action, entre idéal et réel.

L'homme communique, mais il ne se communique pas. Son être ne pouvant se traduire — moins encore qu'une oeuvre d'art, poème ou peinture —, il ne peut qu'avoir recours à des substituts, des délégués. L'homme fait passer son être par un grillage, comme ces légumes que l'on passe par un quadrillage pour en faire de petits cubes. L'homme est passé au gril du langage, qui réduit la vie, segmente autrement les séquences, soumet à d'autres lois les expériences. Le langage, il ne faut pas l'oublier, est un *régime*. L'homme n'exprime pas son être, il se comprime pour passer à travers les mots.

L'homme croit se communiquer de part en part au moyen du langage, mais il n'en est rien. Ce qui le communique le mieux, ce sera peut-être un petit geste obscur au bord du jour, un moment perdu à l'heure morte de midi, une vision vive le soir sur la margelle du lit. Mais qui peut exprimer le moment non historique au sommet du Moriah où Abraham finalement *se rend?* Cet événement échappe aux mailles des mots — il demeure en eau profonde.

Peut-être que, comme Cézanne, les grands poètes seraient à l'heure de la mort tentés de brûler toutes leurs oeuvres, dans l'évidence que «ce n'était pas cela — je le vois maintenant». Mais les hommes qui les suivent recueillent précieusement ces miettes et essaient vainement d'en faire un pain.

Toutefois, il ne faut pas trop gronder le langage: c'est l'homme après tout qui l'inventa en vue de communiquer. L'inventeur était conditionné; son langage sera donc conditionnant. L'homme inventa un grillage et le grillage à son tour le divisa, le porta à diviser d'avance sa pensée en petits cubes, de sorte que l'on ne sait plus si l'homme est divisé parce qu'il inventa le langage ou si c'est le langage qui l'a divisé.

Si l'homme ne se communique pas entièrement ni vraiment, il a au moins l'impression de le faire — il ne pourrait endurer le contraire —, et c'est peut-être pour cela qu'il invente le langage. Ne pouvant se communiquer intégralement, il fait affleurer quelques îlots: les paroles. Car si John Donne a dit qu'aucun homme n'était une île, en réalité, il faudrait demeurer dans chaque homme pour le connaître à fond, et les passerelles ne transmettent que rumeurs. Le langage est un *malgré.*

Parlant plus rigoureusement, l'homme n'inventa pas le langage, comme on dit qu'il inventa la roue ou la pile électrique, mais il exprima simplement par un système de signes qui prit corps à mesure que son univers s'organisa, il exprima comme son visage exprime spontanément et que ses gestes sont naturellement expressifs, sans le savoir, sans le voir. L'homme se déverse malgré lui: il est expression.

L'homme n'étant jamais achevé, ce n'est qu'instant par instant, parcellement, qu'il se communique, et le langage merveilleusement épouse ce frêle défilé. La communication n'est jamais totale parce que l'homme n'est jamais tout là, tout accompli, mais se répand sur plusieurs années de poursuite. Aucun film n'en donnerait idée, aucun magnétophone, même stéréo, aucune reproduction multidimensionnelle. Le filet de langage suffit à accompagner son solitaire parcours sur la corde raide. L'homme s'en accommode: qu'y aurait-il d'ailleurs à communiquer hors quelques bribes? Qui saura le sens de l'aquarium aussi longtemps qu'on demeure à l'intérieur? On ne peut que rassembler quelques conjectures, des interprétations, ou tenter des phrases isolées comme des îles, car tout texte suivi et ayant son sens complet serait mensonger. On croit pourtant que des «oeuvres complètes» exprimeront l'Homme, qu'elles en ont capté l'essence: on oublie que ce sont toujours bribes et rumeurs.

Aussi les *Pensées* de Pascal sont-elles la plus juste expression de ce qu'est la communication de l'homme. C'est là toute la littérature: une suite de bribes que les lecteurs essaient de mettre en corps, croyant qu'il y a *un sens* où l'être de Pascal renaîtra tout entier du puzzle. Ils ne se rendent pas compte que ce maigre morcellement, c'est peut-être le seul *sens* que sait communiquer Pascal. Que pourrait jamais communiquer l'homme.

L'ART

L'homme cherche congé à la vie dans les jeux, dans l'art, dans l'espérance et dans le rire. Dans le poème et l'air de guitare, la maison de verre et d'acier, le film de mirages évanescents; dans le tremblement de la danseuse et le souffle coupé de la toile. L'art est une vibration d'ailes au-dessus de la vie. Et cependant, la vie est plus que l'art: rien n'est meilleur ni plus vrai que la vie. En dépit de cela, l'homme recourt à l'art, «ce mensonge pour mieux faire voir la vérité», disait Picasso. Pourquoi? En quoi l'art est-il supérieur à la vie et la vie plus grande que l'art? Pourquoi recourir à un artifice pour mieux voir, mieux expérimenter, mieux vivre? L'art ne retient pas tout de la vie; il l'organise (un peu à la façon du langage) selon d'autres lois; il est un au-delà; il fournit une façon de sortir de l'aquarium.

L'art nous replonge dans l'essentiel, au centre de la vie. Peut-être que l'homme ne cherche pas l'art pour une raison spécifique (il ne *décide* pas de s'y adonner par un acte rationnel), mais ce serait plutôt l'aveu d'un besoin d'au-delà, l'aveu qu'on ne peut être contenu dans l'ici-bas, le quotidien, le visible, le temporel, le «réel», ou que ses limites l'offensent. L'homme ne peut s'empêcher de jouer, de créer, de modeler, de s'imprimer dans la matière, de devenir celle-ci, d'y refaire son être, de vouloir échapper à ses propres bornes, de lutter contre les murs du temps et de l'espace en constituant une réalité qui les incarne tous deux en les restituant à leur liberté première. Il confronte ses limites et son mensonge par une forme limitée, mensongère, mais capable de capter le suc de la vie, sa face cachée.

L'homme serait-il plus lui-même dans le mensonge de l'art? L'ambiguïté de l'homme est telle qu'il est aussi vrai par le masque, il retrouve sa vérité autant par une négation du réel, de l'apparent, que par l'affirmation brute. L'homme n'est pas l'apparent; son expérience n'est pas contenue dans son comportement ni révélée dans celui-ci. Il *cache* un mystère (sans toujours le vouloir ou le savoir): il est seul et double. C'est pour cela que l'art existe. Les gestes de l'homme rayonnent de désir comme la terre tremble dans un «champ» de chaleur: c'est pourquoi l'art existe. L'art est tentative de l'homme pour retrouver l'indivision initiale, le tissu sans couture, l'unité fondamentale entre soi et soi, entre je et les autres, entre soi et le monde. C'est pourquoi l'art existe toujours.

Il est curieux que le seul au-delà que l'homme puisse de lui-même se donner soit bâti sur le mensonge, sur l'ambiguïté. C'est que l'homme n'atteint à sa vérité que dans un au-delà, un *malgré,* une solution de contraires. L'homme doit maintenir ensemble deux extrêmes; il doit faire mentir ses limites et masquer sa division.

En réalité, l'homme cherche dans l'art un salut. Il cherche à se sauver du quotidien, de ses frontières spatio-temporelles, de ses conditionnements. En cela, l'art est fuite. L'homme cherche à y sauver son être, c'est-à-dire, se perdre dans une exaltation qui récupère et recueille toute la substance forte de la vie. En cela, l'art est une récapitulation, une rentrée dans l'être, un achèvement. Ainsi, à travers l'art, l'homme fuit ses limites et s'achève. Mais ce n'est que dans l'acte artistique lui-même, au moment où surgit la création, ou encore lorsqu'on participe au déroulement d'une oeuvre, que se réalise enfin ce rêve persistant.

L'art est une des tentatives de l'homme en quête d'un rassemblement idéal. Il y en a une autre, c'est l'invention des jeux.

LES JEUX

Pourquoi l'homme ne peut-il résister à l'invention des jeux? il a, semble-t-il, besoin de lutte, de rivalité, d'opposition, d'obstacle, pour éprouver son individualité, sa force, sa résistance. Il a besoin de l'ordre, de règles difficiles, de contraintes imposées, pour y mieux expérimenter sa spontanéité, sa liberté, sa fantaisie, son esprit d'aventure. C'est dans le jeu que l'homme expérimente le plus et sa nécessité de l'ordre et sa capacité de jouer avec des limites qu'il se crée lui-même, sa force physique alliée à la souplesse, son individualité au sens de l'équipe, et son besoin d'être admiré au désir d'éprouver le trac de la «minute de vérité».

Les extrêmes de l'homme se rencontrent dans le jeu et s'y fusionnent admirablement. Le jeu est une concentration d'existence; cependant, il est curieux que l'homme cherche une situation artificiellement contraignante et aux lois aussi rigides, pour exprimer sa liberté, sa créativité, sa personnalité, parfois même sa vertu surhumaine. L'homme a un tel besoin de dépassement gratuit et d'au-delà immédiat, qu'il se crée un temps et un espace tout autres qui échappent à la mesure quotidienne. Lorsqu'on est sur le terrain de jeu, ou même dans un amphithéâtre, l'espace est devenu un lieu unique, et le temps, une mesure sécrétant son rythme propre, — alors que les critères de justice, de valeur, de force demeurent uniques, en marge du monde ordinaire.

Le temps d'un match est une vie ayant ses temps morts, ses sommets, ses tensions, ses angoisses, ses exclusions, dénouements et triomphes. L'équation de base est connue; mais ce sont les inconnus qui lui donnent vie et saveur. Les lois aussi sont connues, mais ce ne sont pas elles l'essentiel — car on les oublie dans le feu de l'action —, ce sont ces êtres dont la confrontation est encore inconnue, dont l'invention est à découvrir, dont le génie est à naître et dont le rapt a la soudaineté d'une bête de proie.

Pourquoi donc l'homme invente-t-il sans cesse les jeux? C'est qu'il a besoin de se créer des conditions contraignantes, qu'il prend plaisir à se créer des situations problématiques pour y pouvoir goûter et exprimer sa liberté. Le jeu commence lorsqu'un geste est posé qui crée une passe difficile à l'adversaire, un peu comme le thème de l'Exposition musicale provoque sa Réponse, les deux formant par leurs jeux contrapuntiques, le corps sonore qui s'appelle Pièce de Musique. Le joueur ou l'équipe *s'exposent* et ainsi, invitent l'adversaire à prendre position. Le jeu appelle une mêlée, un corps à corps, une confrontation exaltante qui est montée en vue d'exposer le plus fort. C'est de la contestation que sort le meilleur, le plus digne, le plus accompli. Le jeu est en cela à l'image du conflit réel de l'existence; il représente une donnée fondamentalement darwinienne.

Mais, au-delà de cette idée de lutte est celle de la fête: le jeu est fête pour l'homme. L'atmosphère de gratuité, et cela, indépendamment du fait que l'entrée soit payante ou les joueurs salariés —, la gratuité vient de ce que l'on choisit librement de se créer un monde de lois pour y mieux expérimenter la grandeur de l'homme libre de corps et d'esprit; et aussi, il y a la gratuité de l'événement, l'imprévu des échappées et des coups de maître, qui sont toujours en situation et sans reprise possible. La vie (en un certain sens) est combat, affrontement, test d'endurance et d'habileté: une série d'éliminatoires. Le jeu: une prise avec des cadres, des règles, des lois, auxquels on se soumet volontiers, ainsi qu'avec des limites artificielles qui provoquent une improvisation dont la beauté est spectaculaire. Et c'est parce que le jeu crée une situation idéale de tous ces aspects, qu'il est si fascinant et que les foules s'y sentent vivre si intensément. Peut-être même que la vie ressemble à un jeu, plutôt que le contraire.

Le jeu tend à créer un réseau de problèmes et de contraintes qui susciteront la plus efficace et la plus élégante solution. Les lois qui y président sont sans merci et sans ambiguïté, absolues d'exigence et subtiles d'application; on y a concentré tous les éléments forts de la vie: celui qui parvient à danser dans les chaînes, à agir en pleine liberté, y apparaît donc plus libre, plus grand que nature, héroïque, même surhumain. Il entre dans le domaine du spectaculaire: sur lui un rideau se lève.

L'invention prolifique des yeux à travers les âges prouve assez qu'il est aussi naturel à l'homme de chercher l'ordre que la spontanéité, qu'il ne peut ni ne veut trouver l'un sans l'autre, et que, pour s'exprimer totalement, autant que pour se mesurer aux autres de toute sa grandeur, il se soumet volontiers à des régimes, *pour y trouver la liberté*. L'homme sort de ses limites de naissance et de mort par le jeu, c'est-à-dire, en se concentrant à l'intérieur de plus grandes limites. Ici se rencontrent l'homme des jeux, l'homme de l'art, et l'homme de la foi.

Le jeu atteste que l'homme n'atteindrait à aucun dépassement de soi s'il n'y avait des conditions exceptionnellement difficiles pour le corps et l'esprit, pour l'individu et le groupe, pour le sens de la discipline et celui de l'improvisation. Or, c'est dans les jeux — dans Les Jeux par excellence, les Olympiques —, que l'homme semble être le plus unique et universel, le plus compétitif et amical, le plus fier en même temps que le plus modeste. C'est là que la race humaine semble le mieux vivre une expérience, une «répétition» de l'union universelle des hommes. C'est là que la paix règne: mais dans une confrontation, une *lutte fraternelle*. C'est là enfin que tous, en se dépassant, se rejoignent.

Aucune bête ne joue comme l'homme. Quand un chien joue, pas de règles, un pur ludisme. Mais dès qu'il y entre des règles, il y entre aussi des finesses, des esquives, c'est-à-dire, une fusion de l'intelligence et de la souplesse corporelle. C'est proprement le jeu de l'homme qui, étant psychique et somatique, est capable de rendre intelligent et cohérent un mouvement, une offensive. Certes, dès qu'apparaît l'ordre, dès qu'il y a règle entendue, nous trouvons l'homme; mais c'est surtout lorsque se fusionnent les deux, l'ordre et la spontanéité, que l'homme en son entier se manifeste. Toutefois c'est le non-rationnel, le *festif* qui *inspire* le jeu. Certes, la raison crée les règles du jeu, mais l'homme ne jouerait pas s'il n'était que raison. Et le meilleur joueur, ce n'est pas celui qui observe les règles sèchement, mais qui, les ayant bien assimilées (il en a fait des *habitudes),* réinvente le jeu à chaque geste. C'est son corps qui est intelligent; tout son être est joueur.

L'homme absorbé par le jeu est déjà plus que lui-même: sanglé, tendu vers le but, il construit un chef-d'oeuvre de contrainte et de grâce qu'il atteint rarement dans les mailles plus relâchées de la vie quotidienne. Le jeu est une oeuvre vivante que même l'artiste regarde d'un oeil envieux, qu'il tâche d'atteindre par l'improvisation, l'«action-painting», l'ivresse. L'art est peut-être immortel; mais seul le jeu est éternel.

CHAPITRE QUATRIÈME:

L'HOMME DE CROYANCE

L'homme divisé et ambigu passe théoriquement par trois étapes: la crédulité, la non-crédulité (son contraire), la foi. Bien qu'à partir d'un certain âge, les trois puissent co-exister à divers degrés — il peut rester chez un jeune adulte croyant beaucoup de crédulité mêlée de non-crédulité —, il vaut mieux toutefois les étudier séparément.

LA CRÉDULITÉ

Le monde pré-rationnel de l'enfant est annonciateur du monde de la foi. Il n'est pas accidentel que le premier soit non-rationnel, puisque le *sens* de la vie et de l'ensemble des choses, pour un homme, n'est pas avant tout rationnel, et que la source de ses motivations les plus secrètes n'est pas rationnelle. Ce qui existe au début de sa vie est sans doute la préfiguration de sa destinée: l'homme est fait pour s'aventurer par un acte de foi, pour risquer, pour choisir sans garanties absolues — pour croire. Le sens de la vie, c'est de croire.

L'enfant fait confiance, mais cette confiance une fois déçue est perdue et ne peut être que laborieusement reconquise. C'est dire que la première confiance doit être perdue, doit mourir, pour que naisse la seconde. La crédulité doit être perdue pour que naisse la foi. Et entre les deux, il y a la non-crédulité, cette espèce de fossé, cet ombragement, ce tamis temporaire. La crédulité perdue fait place à son contraire. Et dès lors, la foi commence d'être possible. En fait, la non-crédulité et la foi naissent ensemble: la non-crédulité rend la foi possible. Cela veut dire que toutes les fausses confiances doivent être dépassées.

L'enfant est crédule; il n'a pas la foi. Il se fie sans esprit critique, puisqu'il est dans la période qui précède la fonction logique; il est persuadé de confiance totale et il se rend avec la meilleure grâce du monde. Il n'a pas la force de croire *malgré* les déceptions et épreuves: il a besoin d'illusion pour asseoir son monde. La non-crédulité qui suit apparaît avec la raison. C'est la découverte des univers particuliers, et l'apparition des fautes, failles et mensonges. C'est l'ère de la désillusion, du soupçon, de la méfiance. Plus rien ne semble bon, tout est détestable; les parents ne méritent plus confiance, le monde est un vaste mensonge, la vie une grande farce. Tout est maudit, perdu, cruel, affreux. On est contre TOUT.

LA NON-CRÉDULITÉ

L'enfant ne peut éviter cette passe difficile s'il veut croître. Ce n'est pas le monde maternel qui peut réellement guérir ou combler l'homme: celui-ci ne peut être empêché de traverser les obstacles et d'avoir à passer par la non-crédulité qui sépare la crédulité de la foi. Il ne peut être protégé contre l'obligation de répondre de sa vie, de la choisir, il ne peut être dispensé de chercher un sens à sa vie. Le sens que d'autres lui trouveront ne lui suffira jamais. C'est le temps de l'individualisme, de la découverte de son unicité, de ses pouvoirs et limites, ainsi que du besoin des autres, de la fragilité des hommes, de la difficulté de vivre.

La confiance est chose à reconquérir. La faille dans l'être doit être non pas cachée, oubliée ou niée, mais dépassée dans la foi. L'homme ne sera rassemblé que dans un «malgré». Le problème croissant de l'enfant qui grandit, du jeune homme, de l'adulte même, c'est de retrouver la première confiance, le regard indivis de la prime enfance. Il emploiera toutes sortes de moyens pour y parvenir: drogues, ivresse, excès sexuels, congés à la raison, sommeil, art, jeu, sport, travail acharné, vie sociale frénétique. S'il n'a aucune foi, il vivra peut-être dans un vague regret ou dans la régression: le passé le fascinera et l'avenir le terrifiera. Son affrontement avec soi-même sera en sursis permanent. L'écran ne pourra toujours tenir.

Chaque homme à un moment donné de sa vie est acculé à une expérience-limite qui lui fait dire: «Je suis perdu». Et c'est à ce moment seulement qu'il commence d'être foncièrement récupérable, c'est-à-dire, à sa racine même. Quand il est descendu et a expérimenté sa faiblesse de base, le fond de son mal, il commence la vraie montée. Ce n'est qu'au moment où l'homme dévisage *sa* mort, et qu'il voit que c'est lui qui va mourir, non plus l'autre à ses côtés, alors seulement il commence à estimer la vie, sa gratuité, son être donné — ce que Sartre appelait l'absurdité. Et les sartriens avaient raison: sans une foi, la gratuité de la vie ne peut être qu'absurde. Il serait illogique qu'il en fût autrement; cela confirme que la vie, l'existence, l'être, ne se prouvent pas dans leur réalité, que leur sens échappe à la connaissance discursive et qu'ils ne peuvent être *reçus,* compris, que par plus grand et plus fondamental que la raison, qu'enfin, la réalité n'est pas une démonstration d'un sens «préexistant», et par conséquent, ne se démontre pas. Elle est interpellation, non spectacle.

La vie ne *s'obtient* ni par une preuve ni par un effort de volonté. Et la foi est de même qualité, puisqu'elle est la réponse à un don gratuit, sa *reconnaissance.* Reconnaître la gratuité de son être et s'en trouver reconnaissant sont chose également positive. Lorsque chaque homme dit à un certain moment de sa vie: «Voici le fond de mon être; c'est ici que je touche roc», il monte un apaisement de cette expérience qui vient de ce que la limite est atteinte, confessée, et que l'on s'est rendu à destination, comme le parachutiste heurtant le sol. Il y a un congé, une libération, à atteindre ainsi sa limite, à se rendre à l'évidence.

En fait, l'homme mesure sa grandeur autant du sommet à la base que de bas en haut. Et ce qu'il appelle une chute est dû à une ancienne cosmogonie. On sait qu'au milieu de la danse universelle, le haut et le bas se confondent désormais. Et l'homme grandit seulement d'avancer, et tout effort est avancement, comme toute découverte de ses limites et bassesses est dépassement des écrans. Ainsi, le haut et le bas dans le domaine moral sont des images, comme d'ailleurs l'avancement est l'état au figuré de celui qui avance; mais il ne peut s'empêcher de reproduire dans une figure — le soleil se couche, Vénus se lève, images que même les scientifiques emploient —, ce qui est pour lui une expérience de crainte, de dépression, de victoire. Et ici-bas, toute poursuite est un parcours réel. L'homme ne bouge peut-être pas au regard du reporter, mais en durant, son être rend périssable tout ce qui est moins durable que lui; en demeurant et en se gardant ouvert, il appartient à l'avenir. «Le plus réel est ce qui a le plus d'avenir.»

L'incrédulité vis-à-vis des choses n'est pas un signe que la foi est impossible. Non, la foi n'est possible que s'il y a eu passage de la crédulité à la non-crédulité. Chaque homme doit, comme Abraham, renoncer à son plus sûr appui. C'est sur ce fondement seul que la foi peut s'ériger. L'homme doit constamment renoncer à un monde maternel, à la tentation d'en chercher un.

Le non-crédule est dans la même attitude que le crédule: il est subjugué par la ténacité et l'abondance des épreuves, la cruauté et la bêtise de l'homme, l'irrationalité et l'absurdité de l'univers — autant que le crédule était sensible aux seuls charmes des choses. Il n'a pas dépassé l'impression, l'apparent, il n'a pas accepté de voir au travers, de croire «malgré». Il se fie dur comme fer à toutes sortes d'incontrôlables, à ses habitudes, aux témoignages des sens, il en demeure captif. Il est comme celui qui est ou trop *pour* ou trop *contre:* en fonction de l'adversaire. Il se tient sur la réserve, ne s'engage pas dans l'existence, n'engage pas son être à l'égard d'un absolu, mais veut rester en possession de ses moyens pleinement lucides. Il ne fait jamais le saut — *il ne se fie qu'à sa raison,* dit-il, pense-t-il. Il se croit désillusionné. Et il l'est, si on le considère comme l'antipode du crédule: mais il n'est que désillusionné. L'homme n'est pas complet aussi longtemps qu'il n'a pas recouvré sa confiance en lui-même, dans les autres, dans le monde. L'homme qui n'est que critique ou refuse de sortir de l'analyse, refuse une part essentielle de son être; il est sans doute le plus illusionné des hommes, de se croire objectif et libre de toute influence. Il s'ignore et méprise ses assujettissements, sa dépendance.

La non-crédulité n'est que la phase négative de la croissance. Au sortir de la crédulité, l'enfant est resté accroché à l'envers de celle-ci; en réalité, il n'est pas du tout sorti de la crédulité, puisqu'il croit à l'inverse du crédule mais avec la même entièreté. Il n'accepte aucun compromis, refuse de jouer un jeu pipé à l'avance, de s'engager dans quelque chose où il ne rencontrera que demi-mesures, limites, ambiguïtés, approximations. Il veut être sûr et ferme comme il l'était dans la première étape; il se fera peut-être dogmatique et intolérant.

LA FOI

La foi est la réponse spontanée à un appel gratuit qui fait voir à l'homme qu'il est à la fois totalement connu dans ses limites et faiblesses, et cependant totalement aimé malgré celles-ci. C'est le don par quoi son être entier est remis à l'homme; par lequel il se reçoit de nouveau, rassemblé au-delà de ses divisions, rentré dans la fusion initiale de la première rencontre avec le monde. Mais il y a quelque chose de changé: il y a désormais un *malgré*. L'homme croyant est passé par la naïveté (crédulité), le rejet de tout le monde de l'apparence (non-crédulité), et maintenant il est intégré dans un au-delà de ces deux phases. Il croit malgré *tout*.

Il croit qu'il est aimé, bien qu'il se sache aucunement aimable; il croit qu'il est pardonné en dépit de son état permanent de pécheur; qu'il est accepté, comme dit Tillich, malgré son inacceptabilité. Lorsque l'homme avoue cet état, il est croyant, non plus simplement croyeur, ni crédule, ni non-crédule ou incrédule.

Cette foi est simultanément un don et une exigence. Elle accueille tout l'être, mais en exige aussi tout: elle rassure et comble, mais cela n'est possible que moyennant risque et plongée continuels. Il n'est pas de garantie absolue, de voie tracée à l'avance, de recette fournie: il faut vivre pas à pas l'aventure et inventer sa réponse à mesure que les questions surgissent. La foi est don: aucun homme ne peut l'acquérir par volonté, ascèse, effort d'intelligence, ou émotion chauffée à blanc. Aucune condition ne la nécessite, aucune condition ne l'exclut.

Qu'est-ce donc qui donne à l'homme cette assurance et l'engage à tel abandon? Non pas une force rationnelle, mais ce qui le lia au monde dès sa naissance: cette force fusionnaire qui lui apparaît à la fois comme incontestable et impossible à prouver. L'homme croit pour la même raison que, tout bébé, il croyait à l'univers et y a toujours cru. C'est-à-dire, pour aucune raison, pour une raison irréductible à la raison: pour une évidence. Parce qu'il le faut, parce que c'est la chose la plus naturelle, parce que cela plaît éminemment, parce que c'est parfaitement croyable, enfin! Cependant, la foi est toujours un *malgré,* et les faiblesses, limites, péchés qu'elle assume, elle ne les nie jamais. L'homme demeure avec ses doutes, il continue de chercher. En fait, la foi est quête plus pressante que toute autre. Ce qui la différencie des autres quêtes, c'est qu'elle se fait dans l'assurance que c'est la voie à suivre, que la vie a un sens, que rien n'est perdu, que la mort même n'est pas une perte totale. L'homme se sait éternel, rescapé, sauvé: il fait flèche de tout bois. Il croit malgré tout; la vie l'emporte malgré tout, le positif absorbe le négatif, en le maintenant tel qu'il est.

Il n'est pas moins «éprouvé» que d'autres, cet homme de foi, ni peut-être autrement; mais pour lui, «la joie est plus profonde encore que l'agonie», comme le dit Nietzsche.

La foi est fidélité, elle est un malgré-*tout*. Le croyant doit croire-espérer jusqu'au dernier moment: aucune garantie absolue ne lui est donnée de son salut. Il est sauvé «en espérant». La foi est aussi solitude. Engagement solitaire. Parfois engagement malgré tout et malgré tous, par fidélité à la foi donnée, à la vie engagée.

L'homme de foi est comme Abraham descendant du Moriah, après qu'il eut sacrifié son fils et que celui-ci eut été redonné: il n'était plus le même homme d'avoir consenti à perdre ce qu'il chérissait le plus, et cependant, il redescendit apparemment comme il était monté: accompagné de son fils. En cet instant sur la montagne, toute sa vie fut rassemblée et acquit son sens définitif. Il ne fut jamais si seul, si dépouillé; ni si comblé, aimé, libre. Pour un moment, Abraham eut l'impression qu'on l'avait totalement trompé; c'est à ce moment qu'il dut croire le plus. La foi est guérison de la naïveté et de son contraire.

C'est ainsi que l'homme de foi devient parfaitement solide et fiable: le Tout-Vivant peut se reposer sur lui. «Dût-il me faire mourir, dit l'homme de foi, je croirai en Lui.» Rien n'est plus fort qu'un homme de foi. La force solitaire et absolue que Nietzsche réclamait pour son «übermensch», ne peut être le fruit de la volonté. Il n'est pas en soi d'avantage à se tenir seul contre le monde. La valeur de l'homme n'est pas de simplement résister — c'est là demeurer dans la seconde phase —, c'est d'être fidèle à quelque chose de plus grand que soi: c'est d'aimer l'autre malgré lui, d'aimer le monde malgré sa trahison.

«Les animaux ont l'innocence», proclamait Zarathustra. Mais ils n'ont pas la foi. Ils ne peuvent être qu'innocents, comme les enfants.

L'homme de foi n'est pas un innocent, mais quelqu'un qui a traversé l'illusion en recouvrant l'espérance. Car l'innocence, c'est de l'ignorance, et ce n'est admiré que par quelqu'un qui a refusé de croître: l'infantile.

Le pattern de la foi ressemble à celui de l'amour, de la créativité, de la liberté. On n'aime quelqu'un que lorsqu'on connaît les failles de celui-ci; l'amour réel n'est pas aveugle, au contraire, il est un *malgré*. Il est une fidélité engagée en pleine lucidité. Le mouvement passionné de l'amour doit porter l'amoureux ou l'amoureuse au-delà de la découverte des faiblesses. Il doit se rendre compte qu'il épouse une personne humaine, non un dieu ou une déesse.

La créativité, ce n'est pas la spontanéité tout court, mais celle-ci *malgré* la discipline, le dressage, la technique. Celui qui n'accepte aucune loi et se croit d'autant plus créateur, est dans la même situation que le crédule, ou son opposé, le non-crédule. De même, la seule liberté permise à l'homme, n'existe que *malgré* ses conditionnements et à l'intérieur de ceux-ci. La liberté absolue est une contradiction. Aussi longtemps que l'homme sera sur terre, il sera à l'intérieur de limites, et c'est dans cette arène qu'il devra s'ébattre. Il ne peut sortir de l'aquarium: il ne peut même pas s'imaginer en être sorti. Que serait, en effet, sur terre un homme de liberté absolue? Il ne serait pas né, ne mourrait pas, ne serait limité par aucun passé, aucun avenir, n'aurait pas besoin de croître... Il ne serait tout simplement pas humain.

• • • • •

Il est impossible à l'homme de se sauver lui-même car il le veut en fuyant ses limites. La foi est difficile pour tous. Il n'est pas de préconditions adéquates, parce que c'est ici l'ouvrage du Tout-Vivant. La seule précondition, c'est que l'on soit un être humain. Le centre humain est toujours attingible par le Divin, ouvert à lui, et personne ne peut s'y soustraire — pas plus que le regard d'un homme saisi sur le vif ne peut éviter de révéler le puits de l'âme.

Peut-être que la seule preuve que Dieu existe, c'est que nous nous posions la question. Que l'homme questionne, cherche et ne soit jamais au bout de sa quête, que l'homme soit questionneur, c'est signe qu'on lui pose une question et l'homme ne fait que creuser une question qui lui est posée. Dieu est ce qui met l'homme en question et à la question — alors que souvent l'homme croit mettre Dieu en question ou tout à fait hors de question. L'homme est quête infinie et c'est en cela qu'il croît infiniment. L'homme est un être de croissance et de croyance: les deux sont recherche et quête. *L'homme croît dans la mesure où il croit.* L'homme croit dans la mesure où il croît.

À lui seul, un livre est une preuve que l'homme cherche beaucoup plus qu'il ne trouve. L'homme cherche à savoir, à voir, à se rassembler et à rassembler les autres par sa parole, son geste, son écriture. Puisque la croissance a commencé avec le discours, lorsque le discours aura cessé, la quête de l'humanité cessera également. Les hommes ont cherché depuis Babel, puisqu'ils se sont depuis ce «temps» efforcé de s'entendre dans un langage universel; c'est à Babel que commença la quête vers l'unité, sous forme de regret, de nostalgie, de désir impuissant: de langage. «Retrouver en un espace unique le grand jeu du langage», comme le suggère Foucault, c'est proprement rentrer dans le paradis où les moindres signes sont entendus, où ils sont même superflus puisque la transparence a remplacé l'écran du langage.

Mais l'homme ne peut y rentrer de lui-même: il faudra que la Parole lui soit donnée, celle qui est pur don et pure délivrance, celle qui unit l'homme à son univers et à ses semblables, celle qui appelle chacun et en fait un responsable, un homme de Parole.

L'homme croyant est sans doute le plus réuni des hommes, mais il ne l'est jamais intégralement. La foi est guérisseuse de la fission initiale, mais elle ne comble jamais: il y a toujours une entaille qui demeure. C'est dans la foi que l'homme «atteint» au maximum de lucidité (conscience critique) et à la plus grande confiance (adhésion non-rationnelle). En effet, la foi ne nie pas la division, la faiblesse ou la limite de l'homme, bien au contraire, elle les reconnaît et les maintient sous un «malgré». Elle est la faille confessée et ainsi guérie. La foi est fusion du positif et du négatif, de la confiance et du doute; l'homme est unifié malgré sa division, ainsi il sent toujours celle-ci. L'homme y est un pécheur aimé, un infidèle fidèlement aimé.

Ce dont le monde a présentement besoin, ce dont il a toujours eu besoin, ce n'est pas l'amour, comme le dit la chanson, mais la foi. Le monde est aimé mais il ne le croit pas. Pour se savoir aimé, il faudrait qu'il le *crût:* ce n'est pas évident sans ce bond sur l'abîme.

Je dis «le monde», mais en réalité je veux dire «l'individu», puisque seuls des humains, un à un, peuvent avoir la foi. C'est une rencontre qui ne se fait qu'au seuil de chaque personne, et le dialogue qui s'y tient, aucun magnétophone, aucune caméra, ne peut en prendre note.

Les hommes voudraient obtenir la foi par une recette, sans avoir à accepter un risque; ou bien, ils voudraient être forcés de croire, par la puissance d'une argumentation. Mais la foi n'est ni une solution facile, ni une conclusion logique.

De la même façon, tous les hommes semblent vouloir une paix — leur sorte de paix. Mais il est impossible d'imposer la paix. Les hommes auraient à accepter un principe qui les dépassât tous, et aucun homme (de l'intérieur de l'aquarium) ne saurait le faire. Ce doit être un engagement spontané et personnel que seul un homme de foi peut accomplir. La raison seule ne pourra jamais produire la paix. La Raison, naguère installée en croupe par Voltaire, n'a pas suffi à guérir de ses furies le pur-sang français, ni à éviter la révolution — peut-être même l'a-t-elle provoquée — cette révolution qui à son tour ne fut qu'une parodie de salut.

Si la raison ne peut sauver l'homme, l'irraison non plus, c'est-à-dire, une émotivité, un rejet de la raison, un retour au primitif pur. C'est chaque homme qui doit faire une plongée dans un abandon à une Force qui le dépasse, c'est en se perdant soi-même, c'est par un renversement personnel que la paix se réalise et que l'homme échappe à ses tyrannies.

Pourquoi l'homme qui semble tant vouloir la paix, fait-il cependant la guerre? Serait-ce dû à ce que Desmond Morris nomme l'impératif territorial? Ou à ce que Lorenz nomme l'agressivité, qui serait une tendance naturelle à l'homme? Serait-ce par cupidité orgueilleuse? Pour défendre ce qu'il a ou ce qu'il croit devoir lui appartenir? Pour atteindre à l'indépendance — vis-à-vis de l'autorité — ou à l'égalité (de biens, de prestige)?

Aussi longtemps qu'un homme aimera une autre femme que la sienne, qu'il sera jaloux de celle-ci, qu'il dominera ou s'assujettira les autres, la paix sera absente. Aussi longtemps que les hommes seront inégaux, il y aura guerre. La guerre entre pays se modèle sur la lutte entre individus: l'égoïsme et l'auto-justification poussent l'homme à se défendre contre ce qu'il croit l'injuste agresseur. Distingué de l'égoïsme, l'égotisme, c'est-à-dire, la poursuite d'une carrière, la construction d'un chez-soi, la défense de sa vie privée, n'est pas nécessairement un défaut; il le devient quand il violente l'égotisme d'un autre.

L'homme est d'ailleurs fait pour se battre, pour lutter, pour tenir jusqu'au bout, être fidèle — et en cela, je suis d'accord avec Nietzsche, mais je n'y mettrais pas toute la valeur de l'homme. Il lui faut aussi la souplesse, la créativité, la capacité de croître. Mais un homme qui ne peut pas défendre jusqu'au bout son option fondamentale n'est pas digne de respect: il est vénal et facile comme la guimauve. Ce qu'il appelle souplesse et diplomatie est mollesse et hypocrisie. Quand on dit de quelqu'un: Voilà un homme, on veut dire: Voilà quelqu'un de fidèle à ses engagements, fiable, responsable, capable d'aller jusqu'au bout et qui ne cèdera pas. Quelqu'un qui résistera et demeurera fidèle à lui-même. En somme, quelqu'un qui rappelle la fidélité du Divin.

Le Christ dit: «Je vous donne la paix», c'est-à-dire, l'assurance que je vous mènerai au Père, que je ne vous faillirai point — sa présence nous est infaillible; et il dit aussi: «Je vous apporte non la paix mais le glaive», c'est-à-dire que si vous me suivez jusqu'au bout, il y aura opposition, lutte à mort, rejet croissant. (Toutefois, la fidélité totale ne veut pas dire rigidité, mais fidélité totale *chaque jour,* au moindre indice reçu — donc, souplesse à l'égard des solutions passées. Ce qui valait pour hier ne vaudra pas nécessairement pour aujourd'hui; du moins, ce n'est pas parce que cela valait que cela vaudra encore.)

Ainsi, paix et guerre sont aussi inséparables dans le Christ que vie et mort, amour du Christ et haine du monde. Le Christ somme l'homme de choisir: «Si vous voulez me suivre»; mais si l'on prend parti, il n'y a plus de retour possible: «Celui qui ayant mis la main à la charrue, retourne en arrière, n'est pas digne de moi.» Le Christ rend l'homme entier en rendant son choix entier, sa confiance entière, son dévouement entier. Le disciple retrouve l'intégrité de la flèche filant droit sur la cible, il est l'homme d'un appel, réponse sans ambiguïté: Oui, oui; non, non. Et cependant, il n'est sûr que dans la mesure où il demeure croissant, ouvert, mobile.

Montaigne disait: «On nous apprend à vivre quand la vie est passée», et Aragon reprenait ainsi cette pensée dans le vers célèbre: «Le temps d'apprendre à vivre il est déjà trop tard.» La vie est ici conçue comme un ensemble de trucs que l'on apprend et lorsqu'on les a appris, on peut vraiment jouer le jeu — ce que Montaigne d'ailleurs rejettera. L'adulte selon cette vision est celui qui a arrêté de croître, il n'y a plus de mystère à attendre. Mais on peut concevoir la vie comme une croissance continue, une découverte jamais finie: c'est la vision de foi. On n'y reçoit pas des recettes pour mieux tirer son épingle du jeu, mais c'est un jeu dans lequel on entre constamment plus à fond, sans jamais pouvoir gagner l'enjeu par des règles.

On n'est jamais un «adulte» dans la foi. Mais on suit un appel, on entre dans un risque, et cela demeure toujours un cheminement, car il n'est pas de recette pour personne. Le Maître est lui-même le cheminement, la vie en lui est l'aventure même, et aucune clé venue du dehors n'y peut conduire. Chez lui, aucune porte ne s'ouvre de l'extérieur. Le message est ici le médium.

S'il est naïf de croire qu'un moyen matériel quelconque puisse guérir ou rassasier l'homme, il est également naïf de croire qu'une recette spirituelle, un acte ou une discipline, un moyen magique du domaine moral ou mystique, puisse sauver l'homme. Car dans les deux cas, on reste au même niveau: celui de la soumission au moyen, de la fascination devant l'outil. Ce qui sauve l'homme, ce n'est justement aucun outil, aucun moyen magique, aucun instrument automatique, aucun appui extérieur, mais la reddition centrale et complète et créatrice de l'homme, et seul l'homme dans une action spontanée peut faire cela.

La mort ne peut être détruite qu'en étant acceptée; on vainc la mort en mourant. L'homme ne peut être libéré qu'en acceptant qu'il ne puisse se sauver lui-même; l'homme ne peut détruire la violence qu'en l'acceptant. L'homme ne peut être justifié qu'en acceptant d'être aimé par quelqu'un malgré le péché et tout en demeurant pécheur. Dans Jésus le Juif, l'humanité est toute acceptée comme limitée, faussée, et c'est dans cette acceptation qu'elle est changée. C'est ainsi que l'homme est unifié, mais malgré sa division, qu'il sent toujours. C'est ainsi seulement qu'il est changé, en acceptant que ses données demeurent inchangées et que c'est comme telles qu'il doit les intégrer dans un élan positif.

CHAPITRE CINQUIÈME:
L'HOMME AU-DELÀ DE L'INSTITUTION

LES INSTITUTIONS ET LA PUISSANCE

L'Église romaine est sans doute le corps politico-socio-moral le plus puissamment organisé de la terre; aussi s'offre-t-elle comme le prototype de l'INSTITUTION. On retrouve en effet ses caractéristiques dans les corps tels que les systèmes d'éducation, les partis politiques, les gouvernements, les corporations commerciales, les unions, les groupes militaires.

Les Églises sont des sociétés organisées autant que des entités spirituelles, et c'est en tant que sociétés qu'elles s'alourdissent et appauvrissent leurs valeurs spirituelles, au point même de les perdre. Or, en tant que sociétés, les Églises sont soumises aux mêmes principes, aux mêmes lois de détérioration, que tout corps politico-social.

Voici quelques-unes des lois auxquelles sont sujettes les organisations socio-politiques:

1. Le pouvoir est toujours conservateur.
2. «Tout pouvoir corrompt et le pouvoir absolu corrompt absolument» (Lord Acton). Car le pouvoir est tyrannique pour celui qui y accède comme pour celui qui en est le sujet; en fait, tous sont les *sujets* du pouvoir.

3. «Qui dit organisation dit oligarchie» (Robert Michaelis), c'est-à-dire gouvernement par un petit nombre.

4. À mesure que l'organisation augmente en volume, la lutte pour les grands principes devient impossible, et l'on cède à des problèmes mesquins.

5. Le corps social devient de plus en plus inerte à mesure que la force d'organisation s'accroît: il perd son impulsion révolutionnaire autant dans la pensée que dans l'action. Le groupe s'opposera à toute critique. On voit un exemple de cela dans le parti communiste russe.

6. De moyen qu'elle était, l'organisation devient une fin.

Il n'est pas difficile de voir comment ces impératifs s'appliquent également aux Églises, et particulièrement à l'Église de Rome. Celle-ci ne pouvait échapper aux principes corrupteurs, du moment qu'elle acceptait de devenir une structure fortement organisée, hiérarchisée, défendue, et groupant un peuple s'accroissant continuellement. Le malheur commença le jour où, goûtant aux charmes du pouvoir, on se prit pour un État, à l'égal des autres corps politiques. Dès lors le pasteur crut que les brebis lui appartenaient et que le pouvoir accordé aux seules autorités, divisait l'Église en deux parts inégales bien tranchées: la hiérarchie, la masse. Il y avait désormais les possédants et les possédés.

Toute organisation alourdie par le nombre autant que par le temps, ne peut véhiculer que puissance, corruption et conservatisme. Or, l'Église officielle de Rome est devenue par son organisation, un modèle de pouvoir mondain, appuyé sur un système de lois très élaborées, régi par des officiers aux pouvoirs quasi absolus, servi par des valets corrompus de finesses diplomatiques et casuistiques.

Nul doute que c'est par son caractère hautement organisé que l'Église officielle devient mondaine. Car, puisque ce n'est pas par la puissance que le disciple vainc le monde, la force organisée ne peut que devenir rivale de celle du monde. Mieux vaudrait en effet une Église non organisée qu'une société conservatrice qui veut se sauver elle-même tout en se réclamant du Christ et s'assujettissant les hommes.

Ce n'est pas dire pour autant que les organisations et les oeuvres d'Église n'ont pas «fait du bien». Le Christ peut travailler malgré nos limites, malgré nos obstructions — mais justement, il faut reconnaître que ce sont des obstacles et que là où on a cru aider le Christ on lui a nui. «Retire-toi de moi, Satan, ta vision est de l'homme, non de Dieu.»

L'Église de Rome n'eut pas la passion du salut de l'homme, elle eut la passion du salut de son autorité, du maintien de son «dépôt sacré». Une Église aussi monolithique ne peut devenir qu'un château-fort, une banque gardienne de «sécurités passées.» Certes, le clergé peut théoriquement être d'Église sans être clérical, mais il lui reste encore à le montrer. Il est en effet inconcevable qu'un homme qui fait partie d'un pouvoir organisé, qui se fait respecter publiquement, reçoit des dispenses en matière d'impôts et des faveurs commerciales de toute sorte, soit traité comme un être spécial, et en Espagne encore, reçoit des baisers sur la main ou sur la soutane, il est proprement impossible à un tel homme de résister à ces marques d'honneur et de puissance, et de ne pas vivre comme s'il y croyait. Peut-être même que le «clergyman», là où on tient encore à le porter, est symbole non de faiblesse mais de puissance mondaine, comme la soutane de naguère.

Que l'Église hiérarchique soit tombée immanquablement dans le guet-apens de la puissance, est vraiment un signe que l'homme ne peut se sauver. En effet, la puissance mondaine, c'est le désir de posséder dans l'immédiat, sans passer par la foi. Et en cela, nous pouvons dire que l'Église de Rome n'a pas été une aire de foi, mais de mondanité.

Il faudra abolir les classes dans l'Église et agir enfin comme si on croyait réellement que ce sont les disciples qui constituent le peuple de Dieu et non tout d'abord les cadres ecclésiastiques. Il faut abolir les distinctions de classes, sans abolir les services qui peuvent exister sans elles. Que les personnages qui se veulent importants soient connaissables plutôt que reconnaissables.

Ce que ressent le membre de l'Église de Rome, c'est qu'il ne suit pas le Christ, mais qu'il fait partie d'un corps social muni de ses règles, impératifs, récompenses, honneurs, privilèges. Il a bel et bien l'impression d'appartenir à une puissance, non d'être faible avec le Christ exposé aux forces de ce monde. Il est protégé, armé, relié à un corps riche de documentation, de tradition, de prestige, de terres, de musées, de comptes en banque. À moins d'un saut lyrique (qui n'a rien à voir avec la foi), il ne peut se voir faible, démuni, obligé de suivre le Christ et exposé à toutes formes de persécutions.

Ce n'est ni son organisation, ni son efficacité, sa longévité, qui sont pour l'Église les signes de son appartenance au Christ. C'est toujours le Christ qui seul attire et appelle, et cela, malgré les échafaudages administratifs, les barrages culturels, les arabesques légalistes. Le charme du Christ agit toujours en dépit du monde, que sa faiblesse a vaincu — d'une façon contraire à celle des Églises. Son charme opère toujours, mais ce n'est pas sûr que les Églises pourront longtemps attirer les hommes.

L'Église officielle de Rome s'est justifiée au cours des âges. Elle a justifié la culpabilité de l'homme par le mythe du paradis terrestre; elle a justifié à la fin du moyen âge la pratique de l'usure, jusque-là «péché mortel», en disant que «ce qui est bon pour l'Église ne peut être intrinsèquement mal»; elle a justifié *a posteriori* la vie des religieux par l'intervention de la «voie des conseils», elle a justifié l'assomption de Marie par la convenance due à une mère de Dieu.* Elle s'est justifiée en considérant le prêtre comme un être spécial, quasi ontologiquement différent du baptisé simple: c'était le fameux «caractère sacerdotal» qu'on voit maintenant remplacé de plus en plus par le concept de fonctionalité.

La hiérarchie était non seulement munie de toute autorité, mais entourée d'une auréole qui sanctifiait ses moindres gestes et rendait sacrilèges les moindres résistances. En effet, ce que l'on a imposé au nom du péché mortel à des multitudes terrorisées, dépasse l'imagination la plus sadique.

L'Église hiérarchique s'est toujours justifiée. Il faut dire qu'elle s'était habilement outillée pour une auto-justification sans faille. L'in-

*On répondra que la majorité des gens de l'Église voulait cette assomption. Mais comment se fait-il que les autorités ont ici demandé l'opinion du peuple chrétien, alors que dans des matières qui le concernaient beaucoup plus — la contraception, le célibat du prêtre, le divorce —, on n'ait même pas daigné le consulter? Ne serait-ce pas qu'on craignait dans ces derniers cas que l'opinion du peuple ne fût contraire à celle de la hiérarchie? En effet, en définissant l'assomption, la hiérarchie ne prenait guère de risque à consulter l'opinion, puisque justement elle avait conditionné celle-ci au point que l'affaire était naturellement dans le sac. Mais dans des matières touchant de près le peuple, c'eût été tout autre chose.

faillibilité de son système donnait à l'état-major un pouvoir dominatif absolu, du seul fait qu'il «venait de Dieu» et exprimait sans faute la «Volonté divine» et réclamait du peuple s'il s'ajustât à ce couvercle (comme le concave au convexe), en voyant Dieu dans les ordres reçus et croyant que l'insoumission aux chefs égalait l'insoumission à Dieu. La force du sujet venait de son *obéissance aveugle,* celle du chef, de son infaillibilité radiquée dans l'autorité divine. On pouvait toujours justifier l'attitude de l'état-major, car elle était parfaitement *justifiable.* Ainsi, dans tout le volumineux traité de morale enseigné pendant des siècles aux séminaires, on ne mentionna jamais le péché de la puissance, des abus du pouvoir ecclésiastique, la cupidité des chefs, l'esprit mondain et politique du système: tout lui semblant permis, on ne pouvait un instant songer qu'il y eût abus ou vice. Car si on avait exposé ce vice comme on exposait celui de l'impureté, toute la charpente de l'Église institutionnelle s'eût écroulée. Mais les moralistes flattaient les vertus d'un si puissant organisme; ils renvoyaient l'image qui lui plaisait. (Aussi le moraliste n'a-t-il pas plus de crédibilité que le système qu'il défend. Car comment peut-on croire le moraliste qui a traité comme digne de damnation éternelle l'omission de quelques versets de bréviaire? En effet, si la structure de puissance de l'Église institutionnelle fut, à cause de sa densité même, l'architecte d'un monde d'oppression, de domination abusive, de cupidité politique, ce sont les moralistes et canonistes qui encourent le plus sévère reproche. Car c'est eux qui ont *rationalisé* un système, *codifié* ses pratiques spontanées, *tué* son esprit d'improvisation, et réduit la foi à une morale.)

L'Église officielle s'est toujours justifiée de son comportement* — elle n'a jamais carrément avoué ses erreurs et fautes en un langage que tout homme comprendrait. En cela, elle fut fort humaine — si tant est que le défaut le plus commun parmi les hommes est l'auto-justification. Ainsi on «sauvait» l'Église-cadre sur le dos du peuple soumis et aux dépens de l'honnêteté.

Mais en fait l'Église-cadre ne se sauvait guère. Les gens d'Église ont le plus de difficulté à être sauvés. Non parce que, selon la rumeur, «ils ont reçu plus que d'autres et en ont abusé», mais parce qu'ils

* Et si l'on veut un exemple de ce qu'est un véritable aveu de faiblesse, que l'on rencontre des «alcooliques anonymes»: on comprendra que seul celui qui est passé par cette descente aux enfers a le droit de parler de montée, de salut, d'espérance. L'Église aurait beaucoup à apprendre d'un alcoolique «converti».

cessent tôt d'être ouverts, de croître. Ils perdent le sens de l'aventure; ils voudraient *croire sans croître*. Or, si l'on soustrait de l'Église entière tous les gens qui ont cessé de croître, que reste-t-il? Il en reste proportionnellement encore bien moins si l'on s'en tient aux seuls cadres.

Pourquoi faut-il que les «gardiens» se considèrent comme de l'arrière-garde? Pourquoi ne pas leur demander d'être en avant plutôt? La raison en semble bien simple: parce qu'ils appartiennent à un corps ancien, puissamment organisé, qui, par définition, valorise l'administrateur aux dépens du prophète.

Bien souvent, on entend la réflexion suivante: «Il ne faut pas aller trop vite, il faut protéger les faibles dans l'Église, il faut tenir compte de la masse.» Mais ce que la hiérarchie appelle «protection des faibles et respect de la masse» est au fond une forme grossière de paternalisme et d'auto-justification: l'Église-cadre se plaît à conserver une «masse» soumise, fidèle et à sa merci. (Que vaudrait un pouvoir absolu sans une masse de soumis?) Elle «garde» ses ouailles en les maintenant à l'état de troupeau, de troupes grégaires.

Depuis le moyen âge jusqu'à Vatican II, ce sont les «gardiens» qui empêchèrent le peuple de Dieu d'avancer, qui bloquèrent le passage du Christ. Or, le premier critère qui devrait faire choisir un de ces gardiens, c'est sa capacité de croître. L'épiscopat n'est pas un honneur, il n'existe pas d'honneurs pour les disciples. (C'est le cardinalat qui joue présentement ce rôle — et à cause de cela, il faudrait l'abolir.)

Les cadres d'Église ont répété aux chrétiens: «Vous êtes un peuple sacerdotal.» Mais on n'y a pas cru: c'était une pâture pour apaiser les nerveux. On a perpétué un sacerdoce institutionnel. Et le clergé continue de se dire en *a parte* que «le truc a bien marché». Le peuple a cru qu'il était Église, Peuple de Dieu, Peuple Prêtre, mais «nous savons que c'est nous qui sommes vraiment l'Église et on ferait bien de ne pas l'oublier», continuent de dire les collets romains, les robes, les traînes, les pourpres, les anneaux, les ukases, les trésors, les limousines et les collusions politico-financières.

L'organisation massive et coercitive des Églises n'est pas le seul obstacle au disciple de Jésus. Il y a aussi la centralisation cancéreuse.

En cela, le mouvement réactionnaire a tôt fait d'étouffer la faible tentative collégiale de Vatican II.

L'Église, a-t-on dit, est un corps. La main ne peut jamais prendre la place de l'oeil, ou l'oeil de l'oreille. Mais aucun non plus ne prend la place de la Tête qui est le Christ. Il ne peut y avoir de «représentant» de la Tête dans un corps. Les autorités disent qu'à cause de la faiblesse des hommes, ils ont besoin d'un chef qui représente le Christ. Mais on peut leur répondre: «C'est à cause de la faiblesse des hommes précisément qu'il ne faut pas «représenter» le Christ. Car ils adorent le représentant, et cela est tout à fait dans leur logique.»

Il faudrait que le Pape cessât de se prendre pour Atlas, la figure mythique qui portait la terre sur ses épaules. Qu'il cessât de «poser des gestes», de faire «honneur» à des pays en leur accordant la «grâce» de sa présence. Ce sont là proprement *poses* de gestes. Que tous les dignitaires cessent de nous «honorer» de leur visite. Il ne s'agit pas de cela, il ne s'est jamais agi de cela. Il est question plutôt de communication et de service.

Communique-t-on? Se parle-t-on? Se comprend-on? Dépasse-t-on les catégories, les classes, les divisions, pour atteindre l'homme, ou maintient-on celles-là pour protéger des institutions malgré l'homme?

Mais il faut décidément pousser plus avant. Peut-être que le peuple de Dieu a moins besoin d'un pape, et davantage d'attention, de directions locales, mais surtout, il a besoin de retrouver une confiance mutuelle entre les cadres et le peuple, une permissivité de la part de l'évêque, un esprit créateur, une ouverture à l'expérimentation. Que le diocèse cesse de vouloir être un palais épiscopal bien poli, pour devenir laboratoire, atelier, chantier. Que «l'ordre à tout prix» soit moins prisé que la vie, l'invention, l'essai, «la croissance à tout prix». Qu'on cesse d'exécuter des lois et qu'on laisse vivre des personnes. L'administration est toujours en retard sur la vie. Mais comme il lui prend du temps à s'en apercevoir!

Beaucoup de chrétiens, et parmi les plus éclairés, sont peu intéressés à l'infaillibilité du pape ou de l'Église; ils en sont à sa crédibilité. Le pape est-il croyable? Peut-il parler le langage des hommes d'aujourd'hui? Comment peut-on être pape? Être centralisateur et universel à la fois? Échapper à l'autoritarisme? Est-il possible qu'un homme tienne ensemble 300 millions de personnes? Et si l'on croit pouvoir le faire tout en maintenant la liberté des enfants de Dieu, ne serait-ce qu'en recourant aux méthodes paternalistes et autoritaires, par exemple, en obligeant tous les prêtres à faire un serment de fidélité, en pleurant parce que les gens n'obéissent plus, en défendant aux évêques de discuter certains problèmes qui touchent de près le Peuple de Dieu?

Quant à l'infaillibilité proprement dite, quel peut être son sens aujourd'hui? L'infaillibilité veut dire simplement que le Christ ne nous faillira pas. «Je serai avec vous» — c'est le gage de fidélité de Jésus à ses disciples. C'est d'ailleurs l'écho de la parole de Yahweh répondant à Moïse qui demandait le nom de son Dieu: «Je suis celui-qui-sera-avec-vous.» *La fidélité du Christ est infaillible.* Vouloir d'autre assurance ou s'en donner en se déclarant infaillible (il faudrait l'être d'avance pour que cette déclaration eût quelque valeur — et si on l'est d'avance, pourquoi le définir?), c'est chercher des sécurités que le Christ ne donne pas, c'est refuser de vivre jusqu'au bout l'aventure de la foi. L'impasse que l'Église hiérarchique s'est naguère créée par la définition du dogme de l'infaillibilité papale, exprime assez l'impossibilité pour une institution aussi dogmatique de «revenir» sur son passé, de se libérer de ses propres pièges, de vivre dans le risque de la foi, de croître sans s'attacher au passé.

Le pape n'est pas au-dessus de l'Église, comme quelqu'un qui trône sur un siège. Au contraire, le fondement de l'Église c'est la foi, l'homme croyant, c'est sur qui *repose* l'Église. C'est parce que Simon-Pierre se déclare *homme de foi* qu'il est déclaré fondement d'Église par Jésus. En effet, Jésus cherche à susciter en ses disciples une attitude de foi qui définira «qui il est»: «Qui dites-vous que je suis?» Une fois que Simon a pris la parole, Jésus lui répond: «Heureux es-tu, fils de Jona, car ce n'est pas la chair et le sang qui t'ont révélé cela, mais mon Père. Et je te dis que tu es Pierre.» Simon-Pierre est devenu, de fils de Jona, fils d'Abraham; de Simon, il est devenu Pierre. Ce «baptême de foi» montre que la force de Pierre est celle d'Abraham: la foi. La pierre fondamentale de son royaume est la foi, non le pouvoir. Pierre, c'est tout homme de foi, tout fils d'Abraham, qui est justement tout fils de Dieu. L'Église c'est tout homme de foi, non ce groupe engoncé de pouvoirs et protégé par des épaisseurs de privilèges et de traditions. Ceux qui vivent de foi sont disciples; et le Christ leur sera fidèle. C'est «la foi qui a vaincu le monde», et «les puissances d'en-bas ne prévaudront pas contre elle.»

Le concept de cité éternelle, comme celui du temple local, et le plus anti-évangélique qui soit. Aussi faut-il le dépasser. Le Vatican comme état civil serait aboli. Le pape n'aurait plus de pouvoir temporel, autre concept contraire à l'Évangile. L'Église romaine cesserait enfin d'être italienne, pour recommencer à devenir universelle. Ainsi, le pape ne serait plus comme une reine-abeille, choyée, surhonorée, portée aux nues par l'adoration latine, un homme bardé de privilèges et surchargé de pouvoirs comme de pondéreux brocards.

Ce n'est plus au Peuple d'obéir aux pasteurs, mais c'est à tous et à chacun de suivre le Christ. On a longtemps obligé la voie de Dieu et sa volonté à passer par le rets d'un système extrêmement serré. Le supérieur (pape, évêque, curé, prieur, abbesse, supérieure locale) qui parlait pour Dieu, le *remplaçait.* Combien d'entre ceux-là n'ont-ils pas dit ou pensé: «C'est Dieu qui parle par ma bouche.» On refoulait pieusement cette idée: «Certes, ce n'est pas à un homme que vous obéissez, c'est au Christ», mais elle revenait de plus belle: :«C'est toujours plus sûr d'obéir que de faire sa propre volonté.» Ainsi, tout écart par rapport à la volonté du supérieur était vu comme volonté propre ou mauvaise volonté, comme esprit d'insoumission ou mauvais esprit, par conséquent, c'était ne pas faire la volonté de Dieu! Dieu était piégé, emmuré: on le tenait, comme on tenait le peuple des inférieurs avide de salut et terrorisé de sacré.

Mais comment avait-on pu être si sûr? Rome disait (et dit encore): «Dans tous les Ordres que nous approuvons, la volonté de Dieu est exprimée dans les règles ainsi que dans le supérieur, par voie d'enchaînement hiérarchique. Vous pouvez être sûrs si vous obéissez.» Mais non, nous ne sommes jamais sûrs de notre salut, ni de suivre la volonté de Dieu. La tentation de l'homme, ne l'oublions pas, est toujours de se chercher des infaillibilités, des positions sûres et imprenables, des sécurités définitives: il répugne à l'aventure de la foi.

C'est tout le groupe, l'ensemble comprenant les chargés d'affaires, qui doit *chercher* la voie de Dieu, qui doit suivre le Christ, et c'est n'avoir rien compris à la foi de penser que des assurances ou des «bleus» d'esquisses nous sont donnés. Aussi appartient-il à tous les membres d'un groupe de se tenir lucides et de rester critiques à l'égard des institutions qui les englobent. Le «responsable» peut être le porte-parole, l'animateur ou le «chairman». Mais chacun doit être fidèle à soi-même, et cela déjà est un lourd programme. Il est difficile, en effet, de croire assez fortement en ce que l'on a donné, en sa façon personnelle de prier, d'être serviteur, de croire en ce que le passé nous a faits, en ce que la vie nous trace — pour vouloir y être fidèle et le porter à terme. Beaucoup d'hommes supposément éclairés ont voulu se faire nos impresarios, nos managers, nos conseillers; ils disaient qu'ils savaient ce qu'il nous fallait «pour notre bonheur». Ils assuraient que l'on n'était pas bon juge dans sa propre cause, et cela, pensaient-ils, leur donnait un surcroît de lumière qui nous était du coup enlevé. Mais il faut se débattre et il faudra continuer de le faire, pour rester sensible à l'Esprit. Ces veilleurs inquiets et cupides nous disaient: «Il est dangereux de se guider sur l'Esprit; on lui fait dire ce qu'on veut, vous savez...: on ne peut en être sûr puisqu'il souffle où il veut». Précisément, c'est sa volonté que nous cherchons, non la nôtre, mais encore moins la leur. Nous optons pour le risque.

Ces gens montrent qu'ils n'ont aucun sens de l'Esprit, du discernement spirituel, d'une voie de foi. Secrètement, ils voudraient bien qu'on les suive, ils cherchent une lignée de disciples. Mais il ne faut pas suivre l'homme. Chacun a une voie difficile à poursuivre et personne d'autre que l'Esprit brûlant en nous ne peut nous y éclairer. Comme seul l'individu s'éduque (l'éducation est un processus d'autodidacte), la foi non plus ne s'enseigne pas par des professeurs, mais c'est l'individu qui suit l'Esprit et l'Esprit seul sait gonfler la voile.

• • • • •

L'Église institutionnelle aura à franchir un autre obstacle pour rentrer dans la voie des disciples, celui de sa sexualité. La sexualité de l'Église est trouble. Elle s'appelle notre mère l'Église, mais elle est dirigée de façon absolue par des hommes, parfois par des mâles (portant soutanes, de surcroît). Dans un même souffle, on exalte la Vierge Marie et l'idéal de la virginité, et on méprise la femme à qui on a réservé le rôle de procréatrice. Ce n'est assurément pas l'Église qui a émancipé la femme! En fait, la discrimination sur tous les plans est un trait caractéristique de l'Église romaine, et on peut affirmer avec Joseph Fichter, qu'il n'y aura plus de discrimination dans l'Église romaine que le jour où, sur le siège de Pierre, on couronnera une *papesse noire!*

La hiérarchie a conduit les chrétiens avec une main de fer qui n'avait rien de maternel; mais les moyens de séduire, de convaincre, de faire parler, de produire des rapports secrets, de trahir par en-dessous, étaient des moyens efféminés. Ni l'homme ni la femme n'étaient acceptés dans leur complète sexualité. On soupçonnait le mysticisme et on valorisait les preuves de Dieu par la raison; on n'acceptait pas que tous les hommes — ceux d'Église inclus — fussent motivés secrètement par la non-raison, que la créativité ou le prophétisme fussent des valeurs fondamentales dans un homme, qu'il fût d'Église ou non. Et quand il s'agissait de punir, on alliait l'intransigeance mâle à la finesse la plus féline. On sut fort bien utiliser les aspects négatifs du masculin et du féminin. Il serait temps d'en explorer les aspects positifs, de rentrer ainsi dans l'ère de l'homme total, au-delà de toutes discriminations et catégories.

L'exaltation de la virginité est une invention augustinienne, comme d'ailleurs celle du «caractère» du prêtre. Augustin exalte la virginité parce qu'il méprise la chair, qu'il veut punir complètement; mais c'est l'homme au fond qu'il méprise. Croyant que l'état virginal est automatiquement plus ouvert à Dieu que le mariage, il se méprenait sur les conditions du salut.

Reliée à la sexualité de l'Église est son attitude vis-à-vis du contrôle des naissances. La hiérarchie semble oublier que la population mondiale s'accroît de 150 000 naissances par jour, soit, chaque année, d'un nombre égal au peuple français. On semble oublier que la terre n'est pas une planète illimitée et qu'il ne faut pas attribuer à la Providence ce qui serait dû à une absence de responsabilité chez l'intendant. Il ne faut pas sauter trop avidement sur la formule «Dieu l'a voulu» ou «la foi nous apprend». D'ailleurs, quand on encourageait naguère les familles chrétiennes à se multiplier, n'était-ce pas tout d'abord pour l'emporter en nombre sur les protestants, et dans ce but, on se servait d'une «volonté divine» fort commode et d'une docilité des parents trop disponible? L'Église attendra-t-elle ici comme ailleurs et lorsqu'il sera trop tard, se décidera-t-elle à dire qu'après tout, Dieu a peut-être voulu que l'homme soit totalement en charge de la terre et *prévoie* en le réglant l'accroissement de la population? Mais on peut s'attendre à ce qui se produira: la hiérarchie découvrira dans 20 ans que la contraception est fort admissible, et un pape ou un texte ecclésiastique suffisamment ambigu viendra dire: «C'est d'ailleurs ce que l'Église a toujours soutenu!» Aussi longtemps que la hiérarchie ne sera pas personnellement aux prises avec ces problèmes, la solution en demeurera théorique, donc injuste. Il faudra que les évêques soient eux-mêmes mariés ou mariables pour comprendre le rôle de la femme, les problèmes de conception et d'éducation des enfants, le rôle du célibat et ses liens arbitraires avec le clergé.

Jésus n'exalte ni la virginité (ni la Vierge sa mère) ni le mariage. Ce qui reçoit sa faveur, c'est la foi, la soumission à la volonté du Père: :«Celui qui fait la volonté de mon père est pour moi mère et frère...» Pour Jésus, aucun moyen humain, aucune condition humaine, ne fait entrer au Royaume ou n'en exclut. La virginité n'a aucune valeur comme telle, pas plus que la pauvreté. C'est suivre Jésus dans son ouverture au Père et à la souffrance humaine, qui seul sauve. C'est l'amour que Jésus a pour son père et les hommes, un amour sans esprit de domination, de vengeance, un amour qui endure la persécution, le rejet, la violence, la mort. Cet amour peut s'appeler un amour virginal uniquement parce qu'il n'est pas possessif, non parce qu'il est le fait de gens non-mariés. Car il n'est l'exclusivité de personne, puisqu'il ne dépend pas de la force humaine laissée à elle-même.

• • • • •

Le désarroi actuel produit par les mises en vigueur des nouveaux règlements du dernier Concile montre à quel point l'état-major 1) n'avait pas favorisé chez le peuple chrétien une expérience personnelle de Jésus, c'est-à-dire, assez fondamentale pour ne pas se croire perdue lorsque les coutumes extérieures fussent changées; 2) avait conditionné le peuple à être son vassal: la mainmise et la maîtrise étaient quasi absolues.

Ayant empêché dans la masse ses éléments prophétiques et créateurs, on l'avait parfaitement dressée pour des siècles de résistance, mais par le fait même, on l'avait rendue incapable de toute remise en question. Aussi le renouveau actuel n'en est-il pas un. On n'a pas compris qu'en faisant descendre d'en haut les directives, on ne faisait que *prolonger* l'état précédent: on n'ordonne pas la créativité, la nouveauté vraie, la vie. Ce qu'il fallait, c'était justement *renoncer* à tout décider par en haut et former des personnes autonomes pouvant suivre leur propre courant. Aussi le renouveau est-il une cohue et une corvée: le mouvement ne suit pas le rythme des gens, mais un schéma imposé. Le renouveau ne pouvant venir que de personnes, il devra se faire — comme il se fait — par des unités silencieuses et non-confessionnelles (ayant souvent quitté l'univers ecclésiastique) qui veulent simplement reprendre l'expérience des premiers disciples avant que ne fût instituée l'Église des textes, des dogmes et des lois. S'il y a renouveau présentement, c'est bien en ce que le peuple est devenu conscient que l'état-major ne peut lui donner les réponses, ne peut le guider dans les choses essentielles, puisqu'il ne peut être créateur. Chacun fera, indépendamment des cadres, sa propre expérience (les autres désespèrent ou deviennent réactionnaires), car cette découverte de son inaliénable cheminement ne peut venir de l'Église officielle — sinon en proclamant l'échec à l'autorité — mais par les groupes civiles: guerillas, syndicats, hippies, contestataires.

L'Église officielle ne pourra se renouveler que lorsque les personnes qui la composent, i.e. tous ceux qui sont ouverts à l'Esprit de quelque «confession» qu'ils soient — referont, repenseront pour elles-mêmes, avec sens du risque et de l'aventure, le chemin *qui ne peut être tracé d'avance par quiconque.*

On ne peut décider de rester patiemment au sein d'une telle organisation que si l'on croit qu'elle va dans le bon sens. Mais pour beaucoup, les Églises seront comme la famille: un enclos protecteur qui prépare le membre à poursuivre sa propre voie; une matrice dont on se détache; l'aire pédagogique que l'on quitte pour l'aventure plus poussée et où l'appel personnel remplacera l'autorité.

• • • • •

LE TEMPS POST-CLÉRICAL

Beaucoup disent que le christianisme a fait son temps, qu'il est saigné à blanc, que nous sommes de l'ère post-chrétienne. Si le christianisme est considéré comme une institution, je suis pleinement d'accord. Mais seule une humanité qui serait semblable au disciple de Jésus pourra survivre dans le monde d'aujourd'hui. Si les hommes veulent éviter la catastrophe, ils devront en effet être capables de ne plus rendre la violence pour la violence, capables de mourir pour les autres, d'être fidèles, d'accepter la mort et ses limites et d'espérer envers et contre tout, et surtout, ils devront reconnaître que l'homme ne peut se sauver de l'intérieur de son aquarium: il faut quelque chose «d'ailleurs».

L'homme est aujourd'hui obligé à la conscience de la dimension universelle, à la compassion sans bornes, à la responsabilité mondiale, à un sens de la communication avec toutes choses. Or, nul homme par simple persuasion, par force ou argumentation, ne peut convaincre l'autre de sortir de son égoïsme, de donner sa vie, de s'abandonner à la foi. Cela est de ressort individuel. Chaque liberté est irremplaçable. L'homme ne peut donner au monde le cadeau de la foi, il ne peut que le recevoir. C'est le Christ qui le donne, et aussi longtemps que ce n'est pas fait dans chaque homme, l'univers entier est susceptible de périr.

D'autres diront: «Les hommes qui ont embrassé la vie chrétienne cherchent encore à l'atteindre après 2000 ans.» Mais, il est faux de considérer le christianisme comme formant un seul corps de 2000 ans. En réalité, ce sont des individus successifs qui vivent et meurent, et chaque vie doit faire ce cheminement. Et comme chacun n'est jamais au même point et qu'il y a autant de commençants que de finissants, le corps appelé les chrétiens n'approche jamais de son idéal. Ici encore, l'homme est inchangé, parce que là où il change, c'est à l'intérieur d'un registre personnel, d'un monde clos.

• • • • •

Il serait plus facile que jamais de *ne plus s'identifier* au monde, en ce qu'il est puissance, domination, organisation forte. On ne peut guère faire autrement, semble-t-il, on est acculé à redevenir évangélique, pour être pleinement homme. La voie étroite est retrouvée, la collusion avec le Pouvoir n'est plus tenable.

L'Église romaine a péniblement appris qu'aucune culture donnée n'était requise pour entendre le Christ. Il lui reste à apprendre qu' *aucune Église n'y est requise,* qu'absolument aucune condition externe n'est exigée, que la jeune génération est peut-être en train d'entendre et de suivre le Christ sans passer par les Églises.

Toutefois, si les générations montantes ne se réclament plus d'un chef de file, ni Jésus, ni Marx, pas plus que d'une Église, mais veulent simplement abolir toute forme de discrimination, de catégorie, de classe, pour ne voir et ne servir que l'HOMME, il leur faudra aimer plus que celui-ci. Il faudra *espérer* en l'homme, c'est-à-dire, croire en ce «champ» mystérieux qui l'entoure, le champ des possibilités. Même Bertrand Russell, qui avait rejeté toute foi en un absolu ou en un au-delà, rêvait secrètement à plus grand que l'homme: c'était le fond de non-rationnel qui l'inspirait, peut-être même à son insu. L'homme est entouré de limites, mais il est aussi irrépressible de désir, de rêves, d'aspirations, de créativité. Et s'il faut toujours rappeler les premières, on ne comprend l'homme et on n'y croit vraiment, qu'en considérant les seconds.

L'homme est cet être mystérieusement ambigu, limité, inachevé, infini. Il est en cela inchangé. Et si l'on veut sauver l'homme, il faudra le voir dans son extension infinie — son écologie est illimitée, elle embrasse l'univers et les temps à venir. Chaque homme est à la fois uniquement de son temps et déborde sur les temps futurs. On peut n'être soumis à aucune doctrine, à aucune croyance, à aucun système, on peut vivre sans se soumettre à aucune institution (bien que l'on ne vive pas sans celle-ci), on peut croire en aucun dieu, en aucun prophète et se vouloir seulement fidèle à l'homme. Mais en disant cela, il ne faut pas penser qu'on a réduit son champ de croyance, au contraire: on l'a simplement rendu indéfini, ouvert sans mesure. Il est impossible de croire en l'homme sans le dépasser. Sans croire en un homme qui ne vive plus pour soi, qui accepte de ne plus répondre à la violence par la violence, qui veuille recevoir tout homme comme soi-même, un homme qui espère malgré tout, malgré la mort même. C'est l'homme total et cependant inaccompli en qui il faut croire.

L'homme est sur terre ce que nous connaissons de meilleur. L'homme est éternel. S'il ne l'est pas, rien ne vaut la peine de le sauver. Aucun homme ne vaut qu'on en perde un autre pour lui, aucun groupement ne vaut qu'on sacrifie des vies à son profit, *si tout n'est enfin récupéré.* Tout est perdu et inutile si tout n'est pas sauvé. C'est malgré les pertes que les choses sauvées valent la peine, mais ce malgré doit valoir à l'égard de tout, ce doit être malgré *tout* que l'on espère — autrement aucun malgré n'est valable.

LE TEMPS DE LA CÉLÉBRATION

Au-delà des puissances et des institutions d'Église, c'est peut-être l'heure de la célébration et de la foi mûre qui point à l'horizon. Jusqu'ici, l'homme fut trop préoccupé de conquérir la nature pour la célébrer. L'Église romaine fut trop préoccupée de conquérir des âmes et de convertir ses ennemis, pour vraiment célébrer dans la gratuité. Mais la conquête étant maintenant dépassée pour un bon nombre, le temps est venu de lever sur le monde un regard de congé.

Pour célébrer il faut se sentir libéré. Doubler le monde de l'institution et entrer dans celui de la fête, passer du lucratif au ludique, du ritualisme au rire. Si l'on est enfermé dans le cercle de la conquête — celle de la terre, du pouvoir, du prestige, de l'espace, de son salut, de l'autre, de la femme, on reste pris dans la servitude d'une roue de fortune.

Pour être célébrants, nous devons nous savoir et sentir chez nous sur terre, aimés du Père, frères de l'homme. Le congé à la conquête ne peut venir que de l'abandon qui s'appelle la foi. Aussi longtemps qu'on croit pouvoir sauver les hommes ou nous-mêmes par nos propres efforts, la célébration n'a pas de sens ni de place — elle n'est que vain bruit. Elle ne peut être que reconnaissance du *donné,* acceptation de soi et du monde, un Oui global et universel. Célébrer, c'est dé-dramatiser, pouvoir rire de soi — ce que ni Pascal ni Nietzsche ni Sartre ni les administrateurs ecclésiastiques ne surent jamais faire. C'est ne pas se prendre soi-même ou ses institutions tellement au sérieux, ne pas être fasciné par ses habitudes, endormi par elles. C'est être capable de rire avec Dieu de l'incongruité de l'homme qui prend ses maux et limites au tragique.

D'où vient qu'on se prenne parfois à plaisanter même de la mort ou les propos d'un mourant, sinon du pouvoir de célébrer en nous une vie que la mort ne peut jamais atteindre, celle de l'esprit au-dessus de la lettre, du rire au-dessus du tragique, de la confiance au-dessus de la solitude?

Le jeu, le rire sont, selon Peter Berger, quelques-uns des signes que l'homme transcende sa propre existence, qu'il ne peut être enclos dans le temps et l'espace d'ici-bas. En fait, ce sont l'orgueil et la vanité de l'homme qui inventent le tragique. Quand l'homme se prend pour un dieu et se sent frustré du monde qu'on *devait* lui offrir, ou offensé de la tournure des événements, il tombe dans le tragique, et c'est vraiment une chute. Le tragique est le dessein de l'impossible: l'aire du non-crédule. Il est impossible à l'homme de sortir de l'aquarium, et les efforts de l'homme pour y atteindre butent immanquablement contre les parois de la solitude, de l'incompréhension, de la maladie, de la mort.

Le rite est la gestuelle de la célébration. Les rites acquièrent du sens non d'eux-mêmes, mais par la vie qu'ils ponctuent et comblent. Ainsi, les gestes sexuels des époux prennent leur sens de l'altérité mutuelle et continue des deux époux: c'est parce que toute leur vie, dans son souci quotidien, exprime leur amour, que leurs corps en toute vérité peuvent se dire «je t'aime». Sans cette *vie d'amour* comme un champ autour du geste, l'acte sexuel serait simple contact physique.*

Le rite requiert toujours la foi, sans quoi il demeure un tombeau vide.

Il peut renouveler la vie, en l'éclairant d'une expérience exemplaire. Ainsi, un soir d'automne dernier, sur un campus américain, une troupe d'étudiants se rassembla spontanément pour commémorer la mort des victimes du Vietnam et manifester contre toute guerre. Ils se réunirent en silence et formèrent procession à travers les rues de l'université, avec des bannières absolument noires, vides de toute inscription. À un moment de leur lente et solennelle marche, ils s'arrêtèrent pour planter des croix blanches: une croix pour chaque soldat mort au combat. Mais le temps fort de cette cérémonie improvisée fut l'événement suivant: à chaque croix plantée, un clairon sonna l'appel des morts, et la répétition, tout au long et à chaque arrêt, de cette lente et persistante mélodie, produisit un effet incomparable. À travers le temps que remplissait chaque reprise, on *sentait* que c'était chacun des soldats morts qui, un à un y passait, que ce n'était pas une armée, mais des individus ayant donné leur vie, ayant sacrifié à la guerre inutile un temps unique et précieux. Ces vérités

---

* Cela veut dire, par extension, que là où un désir authentique de se donner l'un à l'autre par un partage total de la vie — même si celui-ci ne devait pas par la suite s'avérer permanent — rendrait parfaitement valable l'union charnelle de deux êtres capables d'une telle décision. Et si le partage total devient impossible entre ces deux êtres engagés dans le sérieux, ils se libèrent par là-même de tout engagement. Ainsi, le partage total ne devient possible qu'en le pratiquant, non en le promettant à l'avance comme dans l'institution actuelle du mariage. Comment connaître la compatibilité mutuelle? comment connaître la possibilité d'une vie en commun? la véracité d'un désir de partage total — sinon en les essayant pratiquement, sinon en les vivant pour vrai? D'ailleurs, il se peut que la normale soit pour quelqu'un de tenter plus d'une fois la vie à deux, et que ces tentatives fassent partie de la croissance. Ce ne sont pas les actes sexuels entre personnes qui détermineraient la valeur de leur union, mais c'est la valeur de leur union *sur tous les plans* qui donnerait à leurs ébats sexuels un sens authentique.

étaient ici senties, non expliquées rationnellement: c'était en les existant, en les revivant qu'elles faisaient la lumière. Le rite n'est pas illuminé par le monde de la raison, mais par le non-rationnel et c'est de celui-ci qu'il reprend vie.

Ainsi, le rite donne à la vie sa profondeur; il la renouvelle en la stylisant, en la glorifiant, comme une danse glorifie les gestes les plus simples, en leur donnant une durée démesurée et un espace gratuit. Le rite est la glorification du geste humain. Mais on ne décide pas de créer des rites. On ne les explique pas non plus, car c'est le signe qu'ils sont devenus des ritualismes. Si on est vivant, les rites surgissent comme des instantanés de concentration, des actes clés, des événements rassemblés en une gerbe gestuelle. Aussi ne faut-il pas s'inquiéter de créer une liturgie ou d'inventer des «gestes significatifs»: si l'on est vivant, les rites naissent d'eux-mêmes (si l'on n'est pas vivant, ils meurent aussi d'eux-mêmes). C'est la vie qui les suscite. Les actes tendent d'eux-mêmes à s'épanouir en un geste plénier, représentatif, porteur de plus d'humanité que tous les autres. Mais la condition, c'est qu'on soit vivant à l'avance. Car la vie tend naturellement à être rythmique, à se ponctuer d'accents, de temps forts.

Seuls des hommes vivants peuvent inventer de véritables rites. Seuls ceux qui sont espérants et pleins de vie. L'homme aura toujours besoin de rites parce qu'il est foncièrement inchangé: il ne peut se dépasser que par le rythme des temps forts auquel tous les temps faibles donnent sens, et inversement. L'homme est croissant, et ce sont les rites qui marquent la mesure de sa croissance.

La célébration est enfin la mise à jour du non-rationnel, son acceptation dans la liberté. Comme la foi n'est pas chose de l'homme rationnel, ainsi la célébration présuppose une reconnaissance sans angoisse ni honte de ses sources non-rationnelles, du corps submergé de la banquise. Célébrer, c'est accepter d'être influencé directement par sa psyché, ses jugements de valeur, sa spontanéité, sa fantaisie, sa sexualité. Bien plus, il faut dire que seul l'homme qui donne une large part au non-rationnel, peut créer des rites vivants.

Toutefois, les rites sont ambigus. D'un côté, le croyant accepte le rite parce qu'il sait qu'il ne peut vivre sans loi, sans institution, et qu'il doit, pour rester vivant en société, s'exprimer dans des rites. Mais il sait aussi que ceux-ci peuvent être fort liants et contraignants, et qu'il doit toujours garder un oeil critique. Ainsi, l'homme doit toujours tenir en main les deux bouts de sa chaîne, les deux limites de son être, sans quoi il se dissout, il cesse d'être homme.

L'homme est plus que jamais capable d'être croyant, créateur, en croissance continuelle. Cette possibilité répond à un impératif inévitable: celui d'être en mouvement perpétuel à l'intérieur d'un état foncièrement inchangé. L'homme sera toujours sommé de croître sans arrêt. Cet appel ne change pas. Il est appelé à être un homme de foi mûre. Car c'est là que sa liberté, sa créativité, son humanité, sont les plus complètes.

LE TEMPS DE LA FOI MÛRE

L'homme est mûr dans sa foi lorsqu'il n'attend plus d'un autre le sens de sa vie, sa direction, la valeur de ses actes. Le temps est venu pour l'homme d'être pleinement responsable de l'univers, de ses choix, de ses possibilités. Personne ne peut posséder un homme, de même que personne ne peut en retour être dominé ou asservi. Chacun est sommé d'être autonome, fidèle à sa propre voie, fidèle à son option personnelle. Chacun doit assumer lui-même son passé, ses conditionnements, ses aspirations. On ne peut changer quelqu'un du dehors, par voie de recettes, de méthodes, de soumission aux institutions, d'obéissance à une doctrine. Chaque homme doit se changer lui-même, c'est-à-dire, assumer courageusement sa croissance, qui demande d'être inachevée.

La vie croyante est comme la plante en croissance. Une fois née, elle n'arrête point de grandir et son arrêt dans la croissance signifie son arrêt de mort. Cela veut dire deux choses: premièrement, que l'homme de foi n'est jamais au même stade et, deuxièmement, qu'il ne possède jamais d'assurances absolues. La foi croît à la mesure et au rythme de l'homme. Comme un enfant.

Celui-ci quitte le monde utérin, qui est sûr, absolu, émotif, et il va à la découverte d'autres mondes moins sûrs, plus relatifs et rationnels. Ainsi, il intègre les univers multiples du travail, du jeu, de l'école, et petit à petit, il se rend compte qu'aucun monde n'est absolu, que tout est faillible, que les connaissances sont toutes partielles. Le rythme accru de la vie urbaine, et l'urgence des mass-media intensifient l'expérience de pluralisme, découragent toute atteinte du monde global et unique. Mais la tentation sera d'y retomber. On voudra recouvrer le monde sûr, absolu, et émotivement comblé de la prime enfance.

L'homme de foi sait cela. Aussi doit-il conserver un oeil critique et sceptique. La foi, pour lui, n'est pas absence de discernement. Elle n'est même pas possible sans le doute qui stimule et relativise. La foi devient une habitude d'inventer, de chercher, de questionner, de tendre vers un accroissement quelconque. Elle ne voit pas les incertitudes comme des faiblesses, mais comme les silences dans une musique, les blancs dans un dessin, les pauses dans une phrase.

Mais une foi qui n'est pas croissance ne laisse point de place aux doutes. Elle rejette toute critique honnête, toute mise en question. Elle aspire à un monde solide et infaillible, c'est-à-dire en dehors des limites de l'être humain, en dehors du jeu de la vie. Aussi est-ce une foi morte. On ne peut choisir à la fois la sécurité de la puissance et le risque de la foi.

Au contraire, une foi mûre n'a pas besoin qu'on lui dise comment répondre à l'appel de la vie: elle ne requiert ni formule ni recette. Elle est inspirée par un esprit qui invente et improvise. Aussi l'homme de foi ne doit-il pas interroger le moraliste sur ce qui est bon ou mauvais, ou encore, sur la valeur de telle action par rapport à telle autre.

Il appartient désormais à chacun de décider ce qu'il a à faire et de déterminer le sens de ses actes. S'il est facile de savoir ce qu'il ne faut pas faire, inventer sa voie demeure la chose la plus difficile. Éviter de s'appuyer sur un pouvoir organisé, tel que l'Église hiérarchique ou quelque corps politique, c'est aussi une expérience qui demande du courage. Renoncer à la puissance exige une foi mûre. Mais le croyant doit choisir entre *foi* et *puissance*, entre une aventure de croissance continue ou un royaume de puissance instantanée. De même que l'incroyant aura à choisir entre le monde de la puissance (basée sur la raison, le calcul et la domination) et le respect des valeurs non-rationnelles: les personnes et leurs univers mystérieusement inviolable.

L'homme de foi mûre n'attend plus de l'autorité humaine le sens de ses gestes ou de sa destinée. Il comprend que l'obéissance aux hommes n'est pas la voie vers Dieu, mais qu'au contraire, il faut se libérer des hommes dans la mesure où ils tentent de nous posséder et conditionner. Il se souvient d'Adolf Eichmann, l'homme qui avait obéi à cent pour cent, et qui n'avait fait que cela, et qui n'en éprouvait aucun regret: «J'ai fait ce qu'on m'avait dit de faire», disait-il, pensant que c'était aux autorités de connaître leurs motifs et d'en prendre la pleine responsabilité. Il ne savait peut-être pas qu'il était responsable de tout ce qu'il faisait de plein consentement, et qu'il n'avait pas le droit de se soumettre ainsi à l'homme. Chacun doit demeurer son propre maître et ne pas vouloir acheter les autres.

L'homme de foi ne recherche pas l'appui d'un pouvoir, mais il se sent à l'aise dans la faiblesse. Il a la faiblesse d'une semence à la merci de la terre et du vent. À la merci de l'Esprit. Il a la faiblesse de croître. Avec lui, toutes choses sont nouvelles, tout reste à inventer, à faire surgir comme une pousse verte.

Tout homme qui poursuit une oeuvre quelconque, une découverte, une aventure audacieuse, une recherche, un art, tout homme créateur en un mot, est homme de foi. L'homme de foi mûre, c'est en somme celui qui a dépassé l'institution, qui a cessé de s'y appuyer, qui n'attend plus le lait mais exige la viande, qui ne requiert plus les soins maternels, mais les aventures difficiles. L'homme qui n'a plus à être protégé ou à protéger son passé, mais veut inventer sa vie et sa vision.

L'homme est en âge, disait Dietrich Bonhoeffer. Il émerge comme l'intendant de ce monde et en prend pleine responsabilité. Il ne doit y chercher aucun appui absolu, aucune institution-mère qui le protège contre l'aventure de la foi, de la vie. Il ne doit chercher aucun dieu-vicaire, aucune *puissance* politique ou religieuse, qui remplace la faiblesse de l'Absent.

LE TEMPS DE L'HOMME EN CROISSANCE CONTINUE

Si l'homme ne peut vivre sans institution, il faut par contre se rappeler que l'institution ne le fait pas vivre, ne le tend pas créateur. Au plus, elle articule la vie, la régionne, l'organise. Aussi, l'homme devra-t-il toujours se tenir en alerte vis-à-vis des institutions, et conserver à leur égard une attitude critique. Se soumettre sans esprit critique aux institutions, c'est aussi irresponsable que se soumettre sans discrétion à la science ou à la fonction logique. Il sera toujours impérieux pour l'homme de rester entier et de défendre son monde comme un ensemble indivis.

Désormais, on osera toutes les questions et fournira à chacun les moyens d'y trouver sa réponse. Pourquoi faut-il une éducation à ce point institutionnalisée? demandent Peter Drucker, Paul Goodman, Ivan Illich. Faut-il de la religion institutionnalisée? demandent tous ceux qui quittent celle-ci pour se faire évangélistes, fondamentalistes, ou simplement, pour vivre leur vie parmi les hommes. Faut-il censurer les films, les media érotiques, faut-il regarder l'homosexualité et le cannabis comme ennemis de la société; faut-il encore des prisons, la peine de mort, les maisons de correction? Faut-il enfermer l'aliéné mental? Salarier ou aider financièrement les diplômés plutôt que les créateurs? Le nationalisme est-il encore possible? Pourquoi doit-on accepter le concept européen de la culture plutôt que tout autre? Le mariage est-il une institution valable pour aujourd'hui?

Le temps n'est plus à «ce qui se fait» ou «ce qui ne se fait pas», aux manières, coutumes et procédés «reçus», aux traditions approuvées et consacrées par le temps seul, au principe que «cela a toujours été fait ainsi et a toujours bien réussi.» Désormais, on mettra au service de l'enfant tous les instruments d'information dont on dispose. S'il se montre curieux, il faudra respecter cet éveil, cette créativité naissante, cette poursuite d'aube. S'il se montre par exemple curieux des choses du sexe, qu'on lui permette de lire un livre sérieux d'information *complète* sur le sujet — le seul danger étant que l'information soit incomplète et donc faussée. De même, que l'adolescent curieux des choses de la magie, de l'astrologie, de la télépathie, des soucoupes volantes, puisse avoir accès aux connaissances scientifiques les plus à jour. Tout homme a droit à la connaissance, et cela, en tout domaine et selon son rythme propre.

Que l'individualisme puisse s'exprimer le plus complètement possible, que chacun puisse inventer sa voie et son programme de vie, ses valeurs et sa forme de créativité. Les institutions vers lesquelles tend tout corps fortement et longuement organisé, ne peuvent plus répondre aux besoins, désirs et quêtes des individus, elles ne peuvent qu' *imposer* ce qu'elles croient être «la solution», c'est-à-dire, quelque chose d'éprouvé par le temps et tirant sa valeur de l'autorité, donc périmé et dogmatique. C'est le *pouvoir* qui impose.

Les systèmes d'éducation jusqu'ici se voyaient comme des organismes hautement structurés dispensant une vision du monde obligatoire, rendue nécessaire par le réseau de récompenses et valeurs socio-économiques: la «méritocratie». Le rouage éducatif préparait l'enfant à intégrer une machinerie de consommation et de production, où les compétences et la clientèle servaient une idéologie commune. L'institution institutionnalise, elle conditionne à rentrer dans l'institution. (Ainsi, les enfants apprennent à estimer la cigarette comme un symbole statutaire qui confère l'âge adulte.) L'institution, à la façon des mass-media, engendre des conformistes, non des hommes individualisés; des stéréotypes, non des créateurs.

Jusqu'ici, on dispensait donc un savoir, un système de valeurs, mais c'était un volume épistémologique approuvé, autorisé, honoré. Les enseignants étaient considérés comme *possédant* la science, comme ayant emmagasiné la connaissance et la culture, qu'ils déversaient ensuite à la jeunesse rangée et forcément réceptive. Celle-ci était ainsi dressée, conditionnée, préparée à intégrer un monde préformé; on rendait obligatoire cet apprentissage en ne récompensant que les diplômés, de sorte que si l'étudiant voulait accéder à quelque pouvoir, à quelque connaissance, à quelque valeur, il devait subir le système d'endoctrination. Les membres d'institutions d'enseignement étaient pour la plupart des déformateurs professionnels, soumettant l'individu à un groupe, la vision personnelle à une culture approuvée, la créativité à l'efficacité et à la discipline.

Maintenant, on ne veut plus recevoir un savoir taillé à l'avance, parce qu'on ne croit plus qu'il y en ait un seul qui soit satisfaisant. On ne veut plus se faire imposer une vision du monde et une échelle de valeurs, mais on veut pouvoir les *choisir* soi-même. Le *Pouvoir* institutionnel est remplacé petit à petit par les *possibilités* individuelles. On sait que les temps changent trop vite, pour nous permettre la tradition d'un corps de doctrines stables. Nous sommes entrés dans un monde désormais ouvert, nous devons nous préparer à l'improvisation: apprendre à apprendre. L'enseignant n'est plus vu comme le «baby sitter» supérieur, comme un maître enseignant à un disciple ce qu'il faut penser, ou quelle est la meilleure forme de pensée sur tel sujet, la meilleure interprétation de tel événement, de telle oeuvre. S'éduquer veut dire apprendre à chercher, à créer, à inventer, à explorer, en somme, *à croître indéfiniment.* C'est l'élève qui s'éduque, s'ouvre, s'enrichit, s'engage. Au plus, le professeur suscite en celui-ci des capacités de choisir un monde et un mode de penser. Ainsi, ce n'est plus d'en haut que doit venir la connaissance, ce n'est plus d'une institution, mais c'est d'en bas, c'est l'individu qui se choisit ses conditionnements, ses façons de penser et de travailler, sa créativité, sa direction d'ensemble. Cela ne peut venir d'ailleurs que de soi.

Jusqu'ici les institutions d'enseignement ont vu le professeur non comme un créateur, une personnalité dont le rayonnement naturel, le charisme original, étaient le message même à transmettre, mais on l'appréciait dans la mesure où il pouvait bien s'intégrer à un système et «tenir une classe», autant du point de vue disciplinaire qu'académique. en somme, le professeur n'était pas vu comme celui dont la croissance était continue, mais au contraire, comme quelqu'un qui *a gagné* ses lauriers et maintenant se repose ou s'y repose, c'est-à-dire, qu'il irait désormais en descendant, suivant la loi d'entropie. Il était vu comme le contraire de l'élève: celui-ci devait croître sans cesse, mais le maître avait (dans certains cas, devait avoir) cessé de croître. Un non-chercheur, un non-curieux, un non-créateur (un homme «formé») formait, pensait-on, un chercheur passionné de risque et de croissance.

Mais cela ne devrait pas surprendre, en réalité. L'institution n'attire ni ne produit habituellement des hommes créateurs, mais des hommes d'institution, protégés par le passé et l'ordre établi, et protecteurs à leur tour du passé autant que de leurs opinions établies. En général, les institutions lourdement structurées et de tradition solide produisent des êtres protectionnistes, conformistes et dogmatiques. Elles ne connaissent ni ne tolèrent longtemps l'improvisation. Elles adorent le spécialiste (qui est contrôlable, étant régionné) et craignent le généraliste. L'homme d'institution n'est pas celui qui se voit en croissance continuelle (ce serait sans doute pour lui une faiblesse et un poids pour l'institut), mais une fois ses diplômes acquis, c'est un homme arrivé, parvenu: un produit fini, au double sens du mot. Il ne peut qu'exercer un pouvoir, dispenser un corpus de connaissances acquises, un plan qui *a réussi.* Il ne peut qu'aller en décroissant, sauf s'il est naturellement créateur. Et s'il l'est, ce sera à l'encontre de l'institution, avec le risque d'en souffrir beaucoup et inutilement, peut-être même d'en être finalement la victime.

Les hommes ont désormais besoin de créateurs, de personnes capables de toujours apprendre, et dans la mesure où les institutions installées sont incapables d'un tel programme, il faudra les dépasser ou simplement les abolir. Il sera désormais non seulement possible, mais inévitable, d'apprendre de plus en plus, l'éducation étant enfin reconnue comme le processus de *toute la vie,* non le temps de l'apprentissage qui débouche sur une «pratique» rassurante et dépourvue d'aventures. L'information sur *demande* remplacera l'information sur *commande.* Ce sera le temps de la demande individuelle, non plus de l'imposition institutionnelle: chacun aura une éducation unique et taillée à sa mesure, soumise à ses choix. Ce n'est plus l'institution qui choisira pour lui.

Les institutions telles que les Églises, et en particulier l'Église de Rome, ne réussissent guère à capter l'attention des hommes d'aujourd'hui, justement parce qu'elles conservent l'ancienne vision. Elles veulent dispenser un corps de doctrine et une morale bien définie, c'est-à-dire, une vision du monde éprouvée et fortement charpentée. L'Église romaine hiérarchique a toujours capitalisé sur l'idée qu'elle présentait une valeur immuable, alors que tout autour d'elle on subissait la fugacité de la matière et du monde terrestre. (Mais elle utilisait cet argument tout en s'identifiant aux coutumes et cultures éphémères, qu'elle érigeait en absolus!) Or maintenant, au lieu d'opposer à l'état de mutation continue sa «stabilité éternelle», Rome aurait aujourd'hui l'unique chance d'intégrer ce mouvement perpétuel et de l'inspirer de l'intérieur en se faisant elle-même l'improvisatrice par excellence. En effet, pour l'homme d'aujourd'hui, tout est plus éphémère que jamais. Personne plus que lui n'a acquis à ce point le sens du fugace et de l'instantané. L'Église pourrait habiter cette expérience de l'éphémère, de la faiblesse, de la métamorphose continuelle, de ce qu'elle appelait naguère la métanoïa. Au lieu de se chercher sans cesse des appuis, des dieux-vicaires, des assurances, elle devrait plonger à plein dans ce remous et vivre dans le risque et l'alerte de l'invention perpétuelle. En effet, si l'Église ne vit pas au présent et toujours au présent, elle ne vit pas du tout, mais elle est comme la langue latine, qui ne véhicule aucune réalité actuelle, aucune expérience vivante. Il lui est présentement demandé de sacrifier toute assurance extérieure et de danser nue devant Dieu comme David devant l'Arche. Mais elle ne le voudra pas.

Les Églises veulent non pas soumettre leur stabilité monolithique à la mobilité presque infinie de l'homme d'aujourd'hui, elles veulent plutôt ramener celui-ci à la stabilité de l'institution passée. En somme, elles veulent *convertir,* conditionner l'homme, plutôt qu'offrir le plus grand choix possible d'avenues, de programmes, de façons de voir. Elles se conçoivent comme les institutions éducatives qui imposent un corps de connaissances et un dressage suivi, plutôt que faire confiance à la créativité, à la passion de connaître et d'ordonner à sa façon le monde et les connaissances, à cette énergie qui sommeille dans chaque enfant et que tant d'instituts et de fonctionnaires endorment pour toujours.

L'Église de Rome est amortie par une remorque de 2000 années, dont elle se fait une gloire, un signe de faveur divine. Mais la démocratie est aussi une institution et de bien plus que 2000 ans; cependant, elle n'est certainement pas une invention divine. Le seul critère de divinité pour une Église serait qu'elle fût créatrice et de croissance continuelle. Cela veut dire 1) qu'elle accepterait comme tout le monde de progresseur par essais et erreurs (et reconnaîtrait ses erreurs en un langage clair à tout homme); 2) qu'elle ne se dirait pas en possession de la vérité comme d'une chose acquise une fois pour toutes; 3) qu'elle se verrait comme apprenant de toutes les sociétés et des diverses expériences sociales, puisqu'elle est un corps soumis aux principes de tout organisme politico-social; 4) qu'elle valoriserait davantage les créateurs que les hommes d'institution, que les conservateurs de musée, les «gardiens» de la foi.

Comme les jeunes apprendront désormais de plus en plus en dehors des écoles et que c'est là qu'ils recevront probablement le meilleur de leurs connaissances, ainsi, c'est en marge des institutions académiques, professionnelles et ecclésiastiques que l'on se choisira désormais une vision du monde. L'American Office of Education prévoyait qu'en 1976, 55% de la connaissance serait acquise en dehors des institutions. On s'en va vers l'instruction individualisée, vers la plus complète auto-éducation. Dans un tel contexte, les enseignants seront vus comme ceux qui proposent diverses méthodes. L'information et le dressage seront fournis par les media; ainsi, l'éducation, le travail, le loisir seront de plus en plus fusionnés: l'individu travaillera progressivement sur des oeuvres qui l'intéressent, qui ne seront pas rémunérables d'après la seule cote des diplômes et salaires, mais seront l'expression et le produit de la créativité personnelle. Ainsi serait enfin réalisée la maxime de Saint-Exupéry: «C'est utile puisque c'est beau!»

On semble vouloir dès maintenant — et on le voudra sans doute progressivement — s'instuire uniquement par choix, parce qu'on le désire bien, parce qu'on est passionné pour telle connaissance, et non parce qu'on le doit, parce que la société l'exige ou que l'urgence du succès et du rang social l'impose. On fera tout davantage par choix plutôt que par nécessité ou coercition. Et en vue de cette situation qui point déjà à l'horizon, on rendra possible le plus grand nombre de choix, de connaissances, d'opinions, d'explications, de procédés. Que l'enfant puisse choisir ce qu'il veut étudier parce qu'il le veut et comme il l'entend, selon le rythme qui lui est le plus naturel: toute avenue poursuivie avec passion, peut mener à l'épanouissement de l'homme. Ainsi, l'éducation en groupe sera-t-elle peu à peu remplacée par l'éducation individuelle.

Qu'on ne soit plus tenu à tel ou tel programme. Il est d'ailleurs impossible de préparer les étudiants actuels pour leur avenir, car celui-ci nous est inconnu: au plus, serions-nous en mesure de préparer la génération que nous étions, c'est-à-dire que nous savons *maintenant* ce qu'il nous aurait fallu. Les institutions que nous avons connues furent toujours en retard sur la vie et sur les personnes. Il faudra trouver moyen de renverser cet état de choses — sans liquider tout simplement le monde de l'institution.

Il nous reste une issue: vivre dans une découverte constante et rayonner autour de soi cette attitude, apprendre à apprendre. Apprendre à croître. La croissance indéfinie, c'est en effet la véritable éducation; c'est aussi la foi authentique; c'est enfin toute la vie de l'homme tel que nous le connaissons présentement: l'homme inchangé. L'homme constamment tenu de *se changer* s'il veut rester vivant. S'il veut survivre.

• • • • •

Désormais il devient pour chaque homme aussi possible qu'impérieux de retrouver son chenal intérieur. De se rassembler et se refaire au plus fort de ce courant, qui est inaccessible à l'oeil de l'histoire, du succès ou de l'outil technologique. Au plus fort de lui-même, où se déroulent le sens de sa mission, l'expérience de l'amour, où se découvrent la responsabilité parentale, l'urgence de la créativité, la présence de la mort. C'est au niveau de ce fleuve central que se loge la dure et fine nervure de la foi, qui entraîne chacun dans une aventure sans port d'attache, sans charte canonique, sans sillage antérieur. Pour vivre à ce niveau d'intériorité, chacun devra se garer contre le monde du quantitatif et de la performance, qui séduisent à vivre en surface: il doit se créer en lui-même ses propres valeurs et n'en point attendre sanction du milieu, des media de masse, des autorités. Chacun est ainsi rappelé à sa solitude insoluble, qui ne rend authentiquement communicable que dans la mesure où il est rigoureusement fidèle à cette unicité de parcours et d'aperçu. L'aventure ainsi vécue est tellement personnelle qu'elle n'offre aucun attrait pour les sportifs de la vanité ou les concurrents de la réussite et de l'efficace. Celui qui décide de descendre en cette région immergée, accueillera sa disparition — son échec apparent — comme une manière de révéler à ses amis et disciples le sens du chenal et d'en libérer la force contenue.

Aujourd'hui cette voie est devenue possible pour chacun. Mais, maintenant moins que jamais, rien ne pourra la rendre facile. La difficulté d'être homme demeure inchangée.

Écrit dans l'espace blanc
des plaines canadiennes, hiver 1971